JN096825

私達人類と地球の未来

The future of us
humans and the earth

吉川義弘

講談社エディトリアル

私達人類と
地球の未来

はじめに

私は、私自身が36歳になるまでは普通の人のつもりでおりました。でもその36歳になった頃、私より20歳も若い16歳で高校1年生の女の子と互いに心を寄せ合う間柄になり、この時期以後に、私自身が記憶している事柄の中に、私が絶対に考える必要のない知識が記憶されている事に気付き、またその知識は、私が高校生の頃から覚えている事柄であったのです。

私はその時期を境にして、自分の脳の働き方その物が、誰かに操られて考え、記憶させられ、また動かされていると思える現象が頻繁に起こるようになり、その現象は、忘れている事を思い出すとか、新しい知識を思いつく事等が頻繁に起こり、その事で得た知識を誰かに話したいと思うような内容ではない為に、人に話す事は無かったが、私自身の脳の働き方が、私自身の仕事や生活に密接する内容で無い事柄が多かったのを覚えております。

私は、自分の脳が異常な働き方をしている事に気付いた後、私に好意を示す若い女性の気持ちを知りたいと思うようになり、その若い女性が聖書を読んでいるのを見て、私は聖書を読む事で、彼女の気持ちを少しは理解出来るのでは、と思い聖書を読み始めた時、私は、自分が聖書とは無関係ではない、と思うようになり、聖書を読み進めば進むほど、その気持ちは強くなる一方でした。

その聖書を読み始める事で、私には「**洞察力**」があると思うようになり、その“洞察力”についての詳しい知識を調べる為、私は以前から使用し続けていた「国語辞典」を調べると、「洞察力」とは、「**人や物或いは物事の長所・短所、過去や未来を見破る能力**」と示されており、私はその知り得た知識の文字を記録したのです。

そして、月日が経って再度「**洞察力**」の意味を確認しようと「国語辞典」を調べると、「**見破る・見通す**」としか書き記されていない事を確認し、私はこのように実際に文書には書き記していない事柄を、書き記された文書として読む事で、普通の人が知る事の無い知識を得る事を理解する事を悟ったのです。

つまり、実際に私が仕事をしている時、何かの体験を通して、「疑問」に思う事が時々あり、その“疑問”に思った事に対して回答され、その回答される事柄が記憶されるのですが、その体験をする時には、女性と接する時に起こる可能性が高いので、忘れないで覚えている事柄が多いのと、その疑問に思う事の回答も、私にだけ回答されるようなので、私以外の人々がその回答の内容を理解する事は全く無いと思われるのです。

また、その体験によって得た知識を、誰かに話した時、誰一人として理解する事は無く、その事を聞いた人の中には、私は馬鹿かおかしくなった者のように思われ扱われる事があり、また中には何も言わない人もおり、その人によって対応の仕方が違っても、理解出来たと思える反応をする者は全くいなかったのです。

その現象に気が付いた時以後も、それ以前にも体験した知識が記憶されている事に気付きましたが、私は普通の人々が記憶している知識もあるが、普通の人が全く知らない知識、というよりも、寧ろ人として重要な事柄であるのに、私以外の人々は理解出来ない、つまり、「話す事も、聞く事も、読む事も、書く事も」出来るが、その意味を悟る事が出来ず、「無価値な事」として脳が反応していると思える反応をする人が多いのです。

尚、この本の、宇宙や地球、歴史や未来、宗教、神話等に関する記述の中には、広く知られるこれまでの知見とは異なる内容も多く含まれております。これは、私がこれまでに得た知識をもとに、私なりの考察・意見を書き記したものであります。御一読いただくにあたり、読者の皆様にはこの点をご理解いただければ幸いに思います。

私達人類と地球の未来

目次

目次

第1章

銀河系

私達がいる太陽系が属する天の川銀河は、月の無い澄んだ夜空にはっきり見る事が出来、それが非常に多数の恒星から出来ている事が分かった。天の川銀河は約2000億個の太陽と同じような星の集団で、太陽もその一員である。

銀河系は渦状銀河で、その形は巨大な円盤状で、直径は10万光年、厚さが外側の部分が3000光年であり、円盤の中央は膨らんでいて、この部分をバルジといい、直径1万5000光年、厚さ1万光年である。

銀河系は3つの部分から構成されており、第一の部分はバルジで球に近い形で、中心の最も密度の高い部分は中心核といい、非常に高密度の小さな天体が発見されており、ブラック・ホールがあると考える天体物理学者もいる。第二の部分は円盤面で有る。バルジよりも平らに広がっていて、半径が5万光年、厚さ2000光年である。太陽は中心から約2万8000光年離れた所にある。太陽が銀河中心を一周するのには約2億年かかる。

第三の部分はハローで、バルジと円盤を取り囲んでいる。ハローは約15万光年の球形に広がっており、銀河系の円盤面に比べて密度が非常に希薄である。

私達が住んでいる地球から一番近い天体である月まで、光の速さで示すと1.3秒で光は届き、地球から太陽まで光の速さで約8分30秒で届き、木星から太陽まで光の速さで約44分30秒で届き、太陽から海王星まで光の速さで約243分で届きます。

ちなみに太陽の次に近い恒星はプロキシマ・ケンタウリで、光の速さで4.2年もの距離があり、また銀河系の周りに別の銀河がありマゼラン星雲やアンドロメダ銀河等の多くの銀河系がある事も知られております。

1.1　太陽

太陽は銀河系を構成する数千億の恒星の一つであり、一本の渦状腕の真ん中あたりに位置する。銀河系の半径は5万光年だが、銀河系の中心から太陽までの距離は2万8000光年であり、他の星と同様に太陽も銀河系の周りを回転しており、2億年かけて一周する。

太陽を中心にして100光年立方の中に約100個の星が有り、宇宙には太陽より熱い星も冷たい星もあるし、太陽より明るい星も暗い星もある。銀河系に於ける位置・進化の段階・明るさのどれを取っても、太陽は平凡な星である。

太陽は我々地球人にとって特別な星で近くにあるため、表面の詳しい研究が可能で、そんな恒星は太陽だけで、太陽の視直径は32分で1分は太陽面上で723kmに相当する。地上からは地球大気の揺れの為に0.3秒より詳しい観測は無理である。大気圏外から人工衛星の観測では搭載機器の制限から、今迄のところ1秒より良い分解能は得られていない。

太陽は熱いガス球であり、中心部は核反応が自然に起きる程、高温・高密度になっている。太陽はガス状なので、地球のような気圏・水圏・地圏といった不連続はない。いかなる金属の100万倍も圧縮されている中心部は1500万Kという高温の為に物質は全てガス状になっている。

太陽の内部に関しては、光球の光を解析して推定してきた、光球の直ぐ外側に厚さ2000kmの彩層がある。その外側にコロナがあり、皆既日食の時、肉眼で約300万kmまで広がって見える。コロナは太陽風の形で、地球軌道を越えて、惑星空間に伸びている。

太陽の大気は一様ではなく、複雑な構造を持っている。波や流れが絶えずあり、また無秩序な運動によって大気がかき乱されている。更に時には一時的だが、局所的に荒々しく乱される。黒点が表面に出る時は、太陽活動が最もよく知られた側面であり、黒点のような活動は局所的で短命な現象なので、静かな太陽といった物が存在する。黒点の数は、約11年の周期で非常に規則正しく変動している。

太陽のスペクトル

太陽はあらゆる波長の電磁波を放射し、エネルギーの41％は可視光線として、52％は赤外線として、7％は近紫外線として地球に到達する。

1.2　太陽の内部構造

太陽は現在、質量や光度、或いは年齢が正確に分かる唯一の恒星である。太陽は天体物理学者にとって特別な存在となり、太陽によって星の内部構造や進化の理論を調べられるからである。その上、重水素・リチウム・ベリリウム・ホウ素といった元素の組織も正確に分かり、太陽の研究では、幾つかの仮定を暗黙の内に使っている。内部の物質量（密度・温度・圧力・化学組成）が時間によらない。太陽は球対称であり、回転や磁場の内部構造の決定の際、重要なパラメーターでは無いという仮定は全く理に適っている。

何億年も前から地球上に生命があったという事は、この間太陽の明るさの変動が数%以内だった事を意味する。

自転の為に正確な球対称ではないが、自転が非常にゆっくりしている（赤道付近では25日、極付近では35日）で、自転による扁平化はまだ確認されていない。

太陽の各層でエネルギーを得る割合と失う割合が等しい事もあり、従って太陽内部にはエネルギー源があるはずであり、それは水素をヘリウムに変換する原子核反応で、毎秒6億tの水素がヘリウムに変わる際に400万tの物質のエネルギーが変換される。中心から表面に輸送されるエネルギーは、熱を運ぶ方法として伝導・放射・対流の3つが考えられる。

実際、中心部（1500万K）が表面（6000K）よりずっと高温である。太陽が光るのは、中心から表面に向かう放射が生じる為で、中心から半径の5/7までの熱輸送は放射的、残りの2/7（約20万km）は対流であると考えられる。対流は非常に複雑な現象であり、最初は規則的だが、大きな温度勾配の為に、秩序と無秩序とが共存する事になる。表面への熱の輸送には、対流層程度の大きさの対流胞が存在する事が必要と考えられている。

太陽の内部で起こっている事を、直接確かめる事は難しい。中心部で進行中の原子核反応によって放出されてから、物質と相互作用を経験しないで、地球に届く素粒子がある。これはニュートリノと呼ばれる物で、太陽が放出しているエネルギーの内3%はニュートリノによるとされている。

コロナ

コロナは皆既日食の時に白色で見える。コロナは太陽の辺縁から太陽の半径の2倍まで広がる内部コロナと、その外側の外部コロナに大別され、可視光線を挟んで、X線から電波に至る全ての波長の電磁波で観測される。

コロナは球対称で、一様な外包というよりも様々な異なる性質の構造から出来ている事が分かる。最も顕著なのは大きなストリーマー（流線）である。これは太陽半径の10倍まで伸びる動径方向の尾から出来ている3～4倍まで伸びる細長い突き出し、物質が超音速で太陽から離れている、小規模なストリーマーには底部があるだけである。その高さは太陽半径の2～3倍で、多くのコロナのアーチが出来ている。

太陽風

太陽風は、コロナの一部分から惑星空間への定常的な超音速流である。太陽から連続的に吹き出して太陽系を横切るのだが、地球付近を通る時の平均的な速さは毎秒400～800kmである。更に外側迄吹き付けているが、やがて星間物質に飲み込まれてしまう。

太陽風は惑星や彗星から蒸発した気体や流星塵の微粒子、或いは銀河系に起源のある宇宙線まで掃して行く。太陽風の影響は惑星間空間全体に及ぶが、特に地球大気には極地方のオーロラや磁気嵐を引き起こす。

太陽周期

太陽面上で観測される黒点・ポア・白斑等は、磁場が強い領域である。磁場は太陽大気の上層程重要になり、特にフレアの引き金になっている事は明白で、磁場の発生場所は大気の下でガスに囲まれた太陽の内部であり、電子と陽子の運動のずれから電流は発生し、磁場が作られるのである。つまり、太陽は巨大なダイナモである。

太陽の自転周期は、地球から見ると27日だが、実際は緯度によって異なり、赤道地方では25日なのに、緯度が60°地点では30日であり、自転周期を知るには、黒点等特定な領域が1回自転した後、再び現れるのに時を使う。このような微分回転の為に、両極を結ぶ弱いポロイダル磁場から強いトロイダル磁場（赤道に平行）が作られる赤道の回転が速い為、磁力線が巻き付けられる。その上対流によって磁力線が捻じ曲げられ、磁気ロープが作られる。これは細い紐を束ねて、強い縄を作るのと同じである。

太陽の周期はもっと複雑だが、ダイナモ理論では周期的な変化が強調される。およそ11年（実際には9年から12.5年まで変化する）毎に磁場の向きが変わるので、1周期は22年になる。これは長年の忍耐強い黒点観測に基づいている。黒点が多い期間を極大期と呼び、フレアや地球でのオーロラも頻発する、そういう時は地球の磁場も乱れ、大気の影響を受ける。

1.3　太陽系の惑星

太陽系は集合体で、唯一の恒星である太陽と太陽を中心とする8個の惑星（'06年、冥王星は準惑星に）からなる。太陽に近い順に水星、金星、地球、火星、木星、土星、天王星、海王星が並ぶ。

惑星の周りにも多くの衛星があり、現在までに182個の衛星が知られており、遠くの天王星や海王星にも未発見の衛星があると思われる。

太陽系には小天体と呼べる別の天体があり、この枠には、火星と木星の軌道の間に数千の小惑星群や彗星、土星・木星・天王星の環、そして星間塵が含まれる。

太陽系は平たい円盤であり、各惑星は円盤内で、太陽を中心にほぼ同心円状に回っている。

太陽系は宇宙の中で、地球の仲間とも言える一番身近な天体が集まっている所で、中央には私達の恒星である太陽があり、太陽系全体の99.9％の質量を占めている。

太陽の重力は、8個の惑星とそれらの衛星68個を始め、近くにある全ての物を引き付けて放しません。惑星はコマのように回転しながら、それぞれの道筋に沿って太陽の周りを回っている。

この道筋は軌道と呼ばれ、太陽の近くから、水星、金星、地球、火星の四つは岩石と金属で出来た球で、その外側を回る惑星は、ガスと液体で出来た巨大な球である。

第2章

私の記憶している知識と他の者達の知識の違い

私は、私自身が36歳になるまでは普通の人のつもりでおりました、でもその36歳になった頃より、私より20歳も若い16歳で高校1年生の女の子と互いに心を寄せ合う間柄になり、この時期以後に、私自身が記憶している事柄の中に、私が絶対に考える必要のない知識が記憶されている事に気付き、またその知識は、私が高校生の頃から覚えている事柄であったのです。

私はその時期を境にして、自分の脳の働き方そのものが、誰かに操られて考え、記憶させられ、また動かされていると思える現象が頻繁に起こるようになり、その現象は、「忘れている事を思い出す」とか、「新しい知識を思いつく」事等が頻繁に起こり、又その事で得た知識を誰かに話したいと思うような内容ではない為に、人に話すことは無かったが、私自身の脳の働き方が、私自身の仕事や生活に密接する内容で無い事柄が多かったのを覚えて居ります。

私は、自分の脳が異常な働き方をしている事に気付いた後、私に好意を示す若い女性の気持ちを知りたいと思うようになり、その若い女性が聖書を読んでいるのを見て、私は聖書を読む事で、彼女の気持ちを少しは理解できるのでは、と思い聖書を読み始めた時、私は、自分が聖書とは無関係ではない、と思うようになり、聖書を読み進めば進むほど、その気持ちは強くなる一方でした。

その聖書を読み始める事で、私には「**洞察力**」があると思うようになり、その“洞察力”についての詳しい知識を調べる為、私は以前から使用し続けていた「国語辞典」を調べると、「**洞察力**」とは、「**人や物或いは物事の長所・短所、過去や未来を見破る能力**」と示されており、私はその知り得た知識の文字を記録したのです。

そして、月日が経って再度「**洞察力**」の意味を確認しようと同じ

「国語辞典」を調べると、「**見破る・見通す**」としか書き記されていない事を確認し、私はこのように実際に文書には書き記されていない事柄を、読み取らせ、書き記された文書として読む事で、普通の人が知る事の無い知識を得る事を理解するに至ったのと、これ以外にも同じような体験によって知り得た知識があった事を覚えております。

つまり、実際に私が仕事をしている時、何かの体験を通している時、「疑問」に思う事があると、その“疑問”に思った事に対して回答され、その回答される事柄が記憶されるのですが、その体験をする時には、女性と接する時に起こる可能性が高いので、忘れないで覚えている事柄が多いのと、その疑問に思う事の回答も、私にだけ回答されるようなので、私以外の人々がその回答の内容を記憶する事は無いと思われるのです。

また、その体験によって得た知識を、誰かに話した時、誰一人として理解する事は無く、その事を聞いた人の中には、「私は馬鹿かおかしくなった者のように思われ扱われる」事があり、また中には「何も言わない」人もおり、その人によって対応の仕方が違っても、理解出来ていると思える反応をする者は全くいなかったのです。

しかし、その現象に気が付いた時以後も、それ以前にも体験した知識が記憶されている事に気付きましたが、私は普通の人々が記憶している知識もあるが、普通の人が全く知らない知識、というよりも、寧ろ人として重要な事柄であるのに、私以外の人々は理解出来ない、つまり、「話す事も、聞く事も、読む事も、書く事も」出来るが、その意味を全く悟る事が出来ず、「無価値な事」として脳が反応していると思える反応をする人が多いのです。

2.1　私が調べた知識では、銀河系等の星々は実在していない

私は多くの知識を、神から授けられており、また多くの書物類からの知識を得る努力をし続けておりますが、この夜空に見える星々の内の太陽系の太陽や惑星類や小惑星類を除く星々は実在していないが、神によって実在しているかのような幻を見せ続けられている事、それ故に、この神が死ぬ事、或いはこの地球から遠くに行き、私達生きている人々に対して、全く何の影響を与える事も出来ないところに去る事が預言されており、その預言された事が実際に起こった時、この夜空に見える星々は、地上に降り注ぐような現象によって消えてしまう事が報じられているのです。

つまり、創造者である神には、生きている人々の脳の働き方に対し、様々な影響を与えられる強力な力がありますが、神は、人を創造した時に、自分に似せて人を創造したが、その創造した人の脳の働き方には欠陥があり、その欠陥は神自身の欠陥である事に神は気づき、人を創造した事を神は悔やみましたが、その人の欠陥を取り除く為の方法を示したものが聖書や預言者達の言葉だと思っております。

2.2　ジェット気流について

私が考えるジェット気流の元となる現象は地球上の夏季の日中の強い太陽光線で地面が加熱されて上昇気流が発生し、この上昇気流

が対流圏界面に達すると、それ以上は上昇することが出来ない為に、横方向に移動しますが、まず夏季の太陽が真上を通過する時期の砂漠地域やそれ以外の地域での対流圏界面は、他の地球上のどの地域よりも、対流圏界面が高い為に、上昇気流が横方向に移動し始めると、上昇気流の勢力の強い場合には、丁度滑り台を滑り落ちるように移動します。

つまり、夏季のサハラ砂漠で説明すると、上昇気流が横方向に移動するにも、同じ緯度方向または南側に移動する場合には、圏界面の高さも類似している故に、移動効果が良くないが、北側に向かって移動する場合には、圏界面の高さが高緯度になるにつれて低くなるので、移動し易くなり、また北に向かって移動をし始めると、地球の自転によるコリオリ効果によって右に向かって進みジェット気流になると思います。

しかし、この上昇気流が生じるのは、夏季の日中の日差しの強い時だけであり、夜間には上昇気流が発生しない為に、ジェット気流も発生しない。ジェット気流が連続的に線を描くように進行せず、とぎれとぎれのジェット気流になるか、或いはサハラ砂漠は面積が900万km^2と膨大な面積と緯度も15°前後で幅も4800～5600kmもある故に、ジェット気流が連続的に移動している可能性があるかも知れないと思っております。

更に、私の考えでは、サハラ砂漠で発生する上昇気流からジェット気流としてコリオリ効果によって移動する方向の地域には幾つかの砂漠地帯があり、最後の砂漠が「ゴビ砂漠」だと思っております。

また、このゴビ砂漠に於いても、夏季に、太陽の強い日差しを受けると上昇気流が発生しますが、上昇気流が生じると、その周辺の地面付近の空気濃度が低くなります。

また上昇気流が生じるのは砂漠地帯だけとは限らず、太陽が真上付近を通過する地域では、晴天になる地域では上昇気流が生じるが、砂漠地域ほど強くない故にジェット気流と呼ばれる事はないが、上昇気流は砂漠地域等のジェット気流と同じ移動の仕方をすると思われ、その上昇気流によって失われた空気の補充も行われる必要があり、その失われた空気の補充には、高緯度からの補充は、圏界面が低い為に気圧も低く入り難く、低緯度から移動する空気量が最も多くなります。

しかし、ゴビ砂漠の南側にはヒマラヤ山脈があって、そのヒマラヤ山脈を越える気流が生じる為、ヒマラヤ山脈の南側では、夏季には常に雨季が生じ続け、でも、その空気補充では足りない為に、太平洋上の空気が常に補充され続けており、そのゴビ砂漠の失われた空気の補充に、太平洋の空気が使われると、この海面上の夏季の空気は高温多湿である為、その高温多湿の空気が、北方向に100km移動すると、乾燥した空気であるなら1℃低下するが、高温多湿の空気は0.55℃の温度低下しかせず、水蒸気が水滴に変化する時、1gの水蒸気が水滴に変わる時539カロリーの熱を放出する為に、移動し始めた高温多湿の気団の温度が加熱されて下がり難くなり、海面から離れて上昇し始め、移動し続けます。

しかし、太平洋上で移動を続ける方向は常に中国大陸に向かう進路を進み、北緯23°付近の南側を通過する気団は中国大陸に上陸する可能性が高いが、北緯23°付近より北側の海上には、他の陸地で生じたジェット気流と類似した気流が夏から秋に掛けて常にある為、この領域に移動して来た高温多湿の気団〈台風〉の進路が北東方向に変えられて、「ゴビ砂漠」に向かう事が出来なくなるのです。

つまり、北緯23°より南の海域を“ゴビ砂漠”に向かう台風は、中国大陸に上陸する可能性が高いが、北緯23°より北側を中国大陸に向かう進路を通過する台風は皆、北東方向に進路が変えられる可能性が高くなるので、この進路が変えられた台風は、日本に上陸、または接近する可能性が高いのです。

2.3　モンスーンについて

私が思うモンスーンとは、まず夏季から説明すると、エジプトのサハラ砂漠等で生じた上昇気流が各方面に移動し、特に北方向に移動する気体の量が最も多く、この北方向に移動し始めると、地球上の自転による地形と、その緯度が高緯度になるに従って自転に伴う周速が遅くなり、低緯度から上昇した上昇気流が対流圏界面に達すると横に移動し始めた時に、その緯度の周速が速い為に、コリオリ効果によって右方向に曲って進み、そのジェット気流が進む方向の下方の地域に、幾つかの砂漠地域がある事を説明しました。

そのジェット気流が通過する最後の地域と思われる砂漠が、「ゴビ砂漠」であると思っており、また、このゴビ砂漠も他の砂漠に比べると、最高気温が高く、また最低気温は極めて低いのですが、このゴビ砂漠に於いても夏季には多くの上昇気流が生じ、また上昇気流が対流圏界面に達すると、北方向に移動する気体が最も多くなり、また上昇気流が発生する事によって、地上付近の気体の量が失われ、その失われた気体の補給路は南側の低緯度から送られる量が最も多く、またこの付近では地上付近であっても偏西風がある故に、偏西風や北側の高緯度からの気体の補充には多くの量は望めないのです。

しかし、ゴビ砂漠の南側にはヒマラヤ山脈があり、この連峰は最高峰が8000mを越える山が連なっており、最も低い部分でも6000m以上の山々が連なっていますが、そのヒマラヤ山脈を越える気流が常に生じ続ける為に、夏季のヒマラヤ山脈の南側では、インド洋からの高温多湿の気団が常にヒマラヤ山脈を越える動きを続け、ヒマラヤ山脈の南側では雨季が起こり続ける事になります。

つまり、インド洋から多くの湿気を持った気流がヒマラヤ山脈を越えて移動する為に、一般的には100m気体が上昇すると1℃温度が下がりますが、湿潤な気体は、100m上昇しても0.55℃しか下がらない故に、もしインド洋上で25℃の湿潤な気体がヒマラヤ山脈を越えるのに6000m上昇すると、乾燥した気体であるなら60℃下がるので－35℃になり、湿潤な気体であるなら、33℃低下して－10℃で6000mのヒマラヤ山脈を越えますが、この高度に上昇すると、湿潤な気体でも、上昇している内に雨を降らした分の水分を失っている為に、乾燥した気体と変わらないのです。

次に山脈を越えた気体が降下し始めると100m降下すると1℃上がる為に、標高4000mまで降下したとして計算すると20℃上がり、乾燥した気体だと10℃上昇して10℃になり、更に標高3000m迄降下したとして計算すると、乾燥した気体だと10℃上がり、30℃まで上昇します。

またモンスーン風の冬季の風向きが逆方向になる事を説明すると、冬季には太陽が南半球に及んでいる故に、アフリカ大陸の南部に上昇気流が発生しますが、その上昇気流の一部が北半球に移動し、この上昇気流が対流圏界面に達して横方向、つまり、南或いは北方向に移動し始めると、コリオリ効果によって気流は逆方向に曲がり、赤道を越えると、また逆の方向に曲がって進む為に、アフリカ大陸南部で生じるジェット気流の一部はヒマラヤ山脈方向に移動し、また、アフリカ大陸南部で上昇気流が発生し続けると、地上付近の気体は常に不足する故に、当然失われた気体の補充が必要になり、その失われて気体の補充も、低緯度から補充する方が、効果的に補充されるので、このアフリカ大陸南部の失われた気体の補充も、インド洋或いはヒマラヤ山脈に移動して来たジェット気流が、ヒマラヤ連峰にさえぎられて降下して、アフリカ大陸南部の補充の為に気流になると思われます。

2.4　台風について

私が思う台風は主に夏季の後半の時期に発生する可能性が高いことと、何故大きな渦を伴う雨雲が生じるかという元々の原因は、夏季には北半球に太陽を公転する公転軸が北半球側に傾いているとともに、北半球は、南半球に比べると、陸地の面積は非常に多く、陸地の面積が多いと夏季には、上昇気流が発生しますが、特にアフリカ大陸のサハラ砂漠は、その面積も900万km^{2}と広大な面積を伴った大地であり、年間の降水量が少ない故に砂漠化しているのです。

このサハラ砂漠からは、太陽が照り付ける昼間には、常に上昇気流が発生して、圏界面に達すると、横方向に移動し始めますが、その移動する方向は、同緯度方向や南の方向よりも、北方向の方の圏界面が低い為に、上昇気流の多くは北側に向かって移動する量が最も多いと思われます。

その上昇気流が、北方向や南方向に移動し始めると、地球自体が常に自転している為に、コリオリ効果によって、北方向に移動すると右側に偏りながら移動し、移動する距離が長くなればなる程、片寄り方が大きくなるのですが、このサハラ砂漠から上昇した気流が移動したものを、私吉川義弘は「ジェット気流」と呼び、その“ジェット気流”が流れた上空の下に当たる地域は、降水量の少ない地域になり易い為に、砂漠化し易いのです。

そのジェット気流が流れたと思われる地域に、ゴビ砂漠が含まれており、特にゴビ砂漠で発生する上昇気流によって、地上付近の空気が大量に失われ、それを補充する空気は、ヒマラヤ山脈を越えてインド洋等から移動しておりますが、それでも不足した空気は東シナ海や北太平洋西部から補われる為に、大量の気団がゴビ砂漠に向かって移動し始めます。

しかし、この北太平洋西部の低緯度の海上の気団は多くの水分を持っている故に、この多くの湿気を持つ気団が北西方向または、北に100km移動すると気温が1℃低下すると言われており、しかし多くの湿気を持った気団は100km北に移動しても0.55℃しか下がらず、また移動距離が多くなると、湿度の密度が上がって雲を生じて、元々その地域の海上の空気より上に上がり、海面から離れた状態になります。

つまり、海面から離れた気団は、海面との摩擦力が失われる故に、回転し易くなり、気体や液体が回転運動を始めると、内側の気体は外側の気体より1回転につき、半径×1π（3.14）分追い越す現象が必ず起こり、この内側の気体や液体が追い越す事によって、外側の気体や液体が引っ張られて加速されますが、この加速され方は意外に小さく、私の計算では、内側の追い越し距離に対して15/1000程度しか加速されないのです。

そして、台風と呼ばれる渦巻が発生するには、一定の条件を満たしていないと回転する事は無く、その一定の条件とは、高温多湿の気団のある中心の地球の自転速度と、北側または南側の差が16.4m/sの条件を満たすと回転し始め、熱帯低気圧、または温帯低気圧になり、台風の中心となる位置が低緯度であるなら、北側半径だけでも1000kmを超えますが、この回転半径が1000kmを超える大きさになると、台風と呼ばれる風速に達する迄には2日～3日を要します。

しかし、熱帯低気圧が発生し、北方向に移動する時間が短くなると、台風と呼ばれる風速に達する時間が短くなり、また台風の中心となる位置の緯度が高緯度になるに従って、回転運動の中心の緯度の自転速度から、回転外側の緯度の自転速度差が16.4m/sの位置で、鋭い刃物ででも切り取られるような現象によって、その内側の気体は回転運動を継続し、その外側は切り離されて、回転運動の半径が北側に移動するに従って小さくなるのです。

台風と呼ばれる渦巻の速度が17m/sになるには低緯度、つまり、北緯10°以下の低緯度で熱帯低気圧が観測されてから3日程度の日数を必要とし、またこの低緯度で発生した台風の風速は強くなる傾向があり、気圧も低下し「台風の目」と呼ばれる雨雲を伴わない領域が生じ、この台風の目の大きさは、台風の中心付近の渦巻回転が速くなると、遠心力が生じて、渦巻運動のエネルギーが全く伝わらなくなる為に、台風の目が生じるので、台風の最大風速と低気圧とに比例するのです。

又、実際の2020年8月22日の台風8号の観測記録から、その状態を説明すると、8/21、3時にN18.7°E122.8°で熱帯低気圧が観測され1006hPaであり、まだ台風と呼ばれる風速になっておりませんが、私の計算では、台風の中心から北側半径が630km程度であり、南側半径が885km程度であり、この台風の中心の緯度の自転速度より北側に630km程度の緯度はN24.3°付近が回転運動の外側になり、南側の回転運動の外側の緯度はN10.8°付近になります。

その6時間後の熱帯低気圧の中心はN20.2°E123.1°に移動し1008hPaの気圧になり、この位置ではまだ台風と呼ばれる風速に達しておらず、ただ熱帯低気圧の中心が北側に移動すると、気団の回転運動の幅が、先に説明したように、高温多湿の気団が、気温の低い方向に移動すると、低い気温の気団の上に上がり、雲を形成して、海面との摩擦抵抗が失われてしまう為に、熱帯低気圧または台風の中心の緯度の自転速度より、熱帯低気圧または台風の北側気団の外側の緯度の自転速度との差が、16.4m/sの地点で回転運動を始めます。

しかし、既に熱帯低気圧の状態でも、高温多湿の気団は回転しており、その回転する気団の幅が、鋭利な刃物で切り取られるかのように、帯のように北側と南側で切り離されるのです。

その台風の中心と外側の様子を順を追って説明すると。

N18.7°　の北側半径は630km程度と思われ、南側半径は885km程度。

N20.2° の**北側半径**は580km程度と思われ、南側半径は780km程度。

N18.7°に対して北側は50km程度減少し、南側は105km程度減少。

N21.3° の**北側半径**は550km程度と思われ、南側半径は725km程度。

N18.7°に対して北側80km程度減少、南側160km程度減少、N20.2°に対して北側30km程度減少、南側55km減少。

N22.9° の**北側半径**は528km程度と思われ、南側半径は660km程度。

N18.7°に対して北側102km程度減少、南側225km程度減少、N21.3°に対して北側22km程度減少、南側65km程度減少。

N25.6° の**北側半径**は483km程度と思われ、南側半径は570km程度。

N18.7°に対して北側147km程度減少、南側315km程度減少、N22.9°に対して北側45km程度減少、南側90km程度減少。

N27.0° の**北側半径**は460km程度と思われ、南側半径は540km程度。

N18.7°に対して北側170km程度減少、南側345km程度減少、N25.6°に対して北側23km程度減少、南側30km程度減少。

N28.6° の**北側半径**は440km程度と思われ、南側半径は460km程度。

N18.7°に対して北側190km程度減少、南側445km程度減少、N27.0°に対して北側20km程度減少、南側35km程度減少。

N31.4°　**の北側半径**は410km程度と思われ、南側半径は460km程度。

N18.7°に対して北側220km程度減少、南側445km程度減少、N28.6°に対して北側30km程度減少、南側45km程度減少。

N37.0°　**の北側半径**は360km程度と思われ、南側半径は390km程度。

N18.7°に対して北側270km程度減少、南側495km程度減少、N31.4°に対して北側50km程度減少、南側70km程度減少。

N42.0°　**の北側半径**は328km程度と思われ、南側半径は350km程度。

N18.7°に対して北側302km程度減少、南側535km程度減少、N37.0°に対して北側32km程度減少、南側40km程度減少し、温帯低気圧に変化しております。

このように中緯度で発生した台風は、熱帯低気圧が観測されてから1日ないし2日程度で台風になり、N25°付近で熱帯低気圧が発生すると12時間ないし1日程度で台風となる風速に発達し、逆にN10°ないしそれ以下の低緯度で熱帯低気圧が観測されてから、台風と呼ばれる風速になるには3日間程度回転運動をし続けないとならず、また回転運動の半径が大きい為に、風速が増すには多くの時間

を必要とし、低緯度で発生した台風は大型の台風になり易く、台風の中心となる緯度が北側に移動するに従って、回転運動の風速が上がり、気圧も低下する仕方も、中緯度や高緯度の台風より低くなる傾向が強いのです。

　また、どの緯度で発生する台風でも、回転運動に力を与えているのは、北半球である場合には、台風の中心の緯度の自転速度と、回転運動の外側の気団の自転速度と16.4m/sの自転差が、回転運動のエネルギーを与え続け、この16.4m/sの自転差を超えると、その先の回転運動の気団は、鋭い刃物で切り取られるように、回転運動から雨雲を持って切り離されて、台風に連なる帯のようになるのです。

第3章

私の考える地球の内部構造について

私の知識による、地球の内部構造の様子と、最先端の科学に於いて知らされている知識とは著しく異なっており、私達人類は地球上の地表面の比較的傾斜の少ない地域に住み着いて生活しており、地球内部構造に関する書物の図形を見る限り、地球が自転運動をしている様子が全く示されておらず、この様子からでは大きな磁力を発生させる要因が全く認められません。

つまり、この太陽系の多くの惑星や小惑星の内、地球のような大きな体積の地球型の惑星は、球形をしており、その球形になるにつれ、その惑星の体積が非常に大きくなり、体積や比重が大きくなる事によって、地表面から深部に進むにつれて重力も大きくなり、その大きな重力の故に、物体同士の摩擦熱が増大して、岩石や鉄やニッケルの構成物質が溶解して液状になり、この部分がマントルと呼ばれます。

また、この地球は24時間で1回転の自転を大昔から繰り返し行っている事も知られており、その自転速度は赤道付近の地表面では1669.79km/hの音速を超える勢いで、北緯または南緯の45°付近の地表面でも1178km/hの速度で自転しております。

その地球の自転運動がある事によって、液状のマントルは、地球上の台風と同じように回転運動をしていると思っており、その渦巻運動の吹き出し部位が、北極と南極に向かって上昇して、地殻部位に接触しながらその内側を赤道の方に向かって進み、また赤道付近から中心部に向かって進む、渦巻運動を続けていると思っております。

台風の中心には常に「台風の目」と呼ばれる、渦巻回転をしない部分がある事は知られているように、回転運動が速くなると、遠心力が働いて、回転運動のエネルギーが全く伝わらなくなる為に、その中心部分は全く回転しない部分が出来るのです。

現代科学では、地球の内部では、地殻と呼ばれる固体の部分は、海洋部分が厚さ5～10kmですが、大陸の地殻は30～40kmと大陸地域の方が深い。その地殻の固体部分を過ぎて更に深くなると、たぶん、地球の重力によって固体が軟化して、深さが増すにつれて液状化する傾向が強くなり、液状化が強くなると、自転運動に伴って渦巻回転運動をするようになると思われます。

しかし、地球の内部の比較的浅い部分では、海嶺が生じてプレートと呼ばれる岩石固体の板状の帯が生じて地殻に対して様々な運動を引き起こし、プレートは海溝と呼ばれる部分で沈み込み、この部分には、地震や津波、或いは火山の噴火活動等の災害を発生させる事も知られており、地表面から地球内部の670km付近で、プレートは液状化して消滅する事も知られております。

3.1　渦巻運動は自転にエネルギーを与えている

私は地球が自転する事によって、地球の最深部に近い部位では、地球の自転速度の4～6倍を超える回転運動をしていると思っており、この液状のマントルと呼ばれる渦巻運動は、常に地球の自転方向と同じ方向であり、またどの部位であっても地球の自転速度を追い越す渦巻運動をしている為に、この渦巻運動が地球の自転速度を維持し続けるエネルギーになっている事と磁気を発生させるエネルギーになっていると思っております。

地球の内部の比較的浅い付近には、「海嶺」と呼ばれる山脈から液状の鉱物が湧き出し、冷えて岩石状になり、板状の岩石が移動する事は知られており、また、そのプレートが沈み込む現象が起こる「海溝」と呼ばれる部分がある事と、そのプレートが沈み込む付近で地震が発生し易い事と、地震が起こる場所が、海底面付近であると津波が発生する事も知られております。

私自身が実験した事によって液状のマントルが渦巻運動をする知識を得る事が出来、簡単な実験装置であっても証明する事が可能である事も、知らせておきます。

そして、私はこの地球内部の自転速度と、自転する事によるエネルギーの伝わり方を細部の計算をして、液状の岩石の渦巻運動の仕方が、回転運動の方向は同じでも、3つの渦巻回転運動をしていると考えております。

しかし、この沈み込み帯は地震や津波や火山活動等によって、地上に大きな災害をもたらす要因を多く含んでいるので、その要因は、地球が1日に1回という極めて速い自転運動をする事によって軟らかい岩石や鉱物類は地球の自転運動のエネルギーを受けて回転運動を始め、この部分では板状のプレートの沈み込み帯がある為に、板状のプレートが狭くなり続けて、プレートは固体の状態を維持出来る限界を超えると、板状のプレートの一部が破壊され、地震が発生すると思われます。

つまり、この板状のプレートが破壊される部分は常に同じ場所で、多くの年月が過ぎる度に同じ場所で破壊が起こる可能性が高いと思っており、この破壊が起こる場所が海面付近であると、地震と津波が同時に発生し、深い場所で板状のプレートの破壊が起きて地震が起こっても津波が起こる事は無く、又破壊が起こる場所が深くなればなる程、固体の板状のプレートの外側が重力熱によって溶解され、固体の幅が狭くなる為に、破壊が起こっても地震を発生させるエネルギーは弱くなるのです。

更にそれよりも地球の深部に向かって、下部マントルが地球の表面から、上部マントルの670kmから2900kmの部分の不連続体と呼ばれる部分も、この深度にある鉱物類は全て液状化した部分があり、更に深部に向かって外核と呼ばれる液状の部分が地表面から5100km地点に有り、その更に深部は固体である事が知られております。

私の考え方では、この内核の固体の領域は、地球の自転軸から半径1278.14kmの固体であり、この固体部分は、「台風の目」と呼ばれるものと同じメカニズムで生じ、その固体部分が赤道付近だけではなく、自転軸に沿って両極の地表面の地殻と繋がった状態で自転していると思っております。

外核マントルと呼ばれる液状部分は、670kmから2900kmの下部マントルから連続して渦巻運動をしたと考えて2900kmから5100km付近まで渦巻回転を続けると、赤道付近に地表面から5100kmで地球の自転軸からの距離が1278.14km付近に来ると、渦巻運動の遠心力によってそれ以上深部に進むことが出来なくなって、北極または南極方向に渦巻運動を続けます。

しかし、北緯または南緯48.8°付近に来ると地球は球形であるので、670kmから2900kmの下部マントルの領域と衝突する事になってそれ以上進めなくなる故に、渦巻運動の遠心力によって自転軸から広がりながら下部マントルの渦巻回転の内側を赤道の方に向かって進み続け、赤道付近に来ると、また48.8°付近から戻って来た別の渦巻運動と衝突し、互いの渦巻運動の流れが地球の中心に向かって流れ始め、同じ流れの状態を繰り返していると思っております。

次に、赤道付近の670kmから2900kmの下部マントルの渦巻運動の領域について説明すると、板状のプレートの沈み込み帯のある部分と、無い部分とでは渦巻運動を継続するのを考慮しないで考えて、670kmから渦巻運動を始める計算をすると、その渦巻運動は2900km付近まで進むと外核マントルの渦巻運動と衝突して、それ以上先に進むことが出来なくなるので、外核マントルの流れとは逆方向であるが北または南方向に向かって渦巻運動を続けますが、北緯又は南緯48.8°付近に来ると、地球の自転軸から1278.14kmの内核の固体部分に遭遇すると共に、渦巻運動の遠心力によってそれ以上深部に進めず、遠心力によって自転軸から広がり続けて、赤道の方に向かって進み続けると思っております。

地球内部の渦巻運動は3つの領域に分かれている事によって、異なる運動が接し合う領域に不連続体が生じると思っております。

何故なら、北または南方向に向かって渦巻運動を続け、北緯または南緯78.3°付近では地球表面の地殻の付近の自転速度と、赤道付近の中心から同じ距離であり、回転方向が同じであるなら、そこに働く遠心力も同じであり、条件が同じであるなら、この1278.14kmより内側の部分は全て固体である可能性は高いと思います。

その渦巻運動を台風が発達するのと同じ状態で赤道付近の地殻が10kmと仮定して計算した結果は次の通りです。

5100kmの内核の固体部分の自転速度は、時速328.919kmであるが、その直ぐ外側の液状部分の回転速度は時速1669.173kmと計算され、液体部分の渦巻運動によって遠心力が働き、地球の重力も全く伝わらない為、内核は固体のままであり、また渦巻運動は、その内側の固体部分を、1日当たり4.98回追い越す事が分かり、内核の固体部分を外側の外核の液状部分が追い越していると計算されます。

この部分に来ると、内核の固体部分の半径は少しだけ小さい為に、下部マントルの渦巻運動の回転速は1668.3kmであるが、内核の固体部分を1日当たり4.98回追い越す事になり、この運動のエネルギーが、上部マントル運動に対して大きな影響を与える為、上部マントルの回転運動が、海嶺を生じさせるエネルギーを与えている事と、沈み込み帯に対して自転速度を増すエネルギーと、断層や地震を起こす板状のプレートの破壊のエネルギーを与えていると思っております。

3.2　海嶺には上部マントルがエネルギーを与えている

海嶺は液状の鉱物類が岩盤状のプレートの隙間を上部に吹き出し、吹き出す速度は極めて遅いが、押し出された液状の鉱物類は上部に行くに従って冷えて固体のプレートの岩石が形成され続けながら上昇して、他のプレートと類似した高さまで上昇すると、上昇が止まりプレートとなり、別の液状の鉱物類が上部に向かって上昇運動は連続的に続き、またプレートが横に移動し続ける事によって、造山運動や断層等の地震や津波、または火山の活動の原動力となる要因を与えていると思っております。

つまり、上部マントルと呼ばれる部分と下部マントルと呼ばれる液状部分は、地球の自転速度を増すエネルギーを与え続けておりますが、外核マントルの液状部分が、地球の自転速度を増すエネルギーを与える事は不可能であると考えております。

また私が地上の赤道部位の地殻が10kmと仮定して、その内部を、上部マントルと呼ばれる670km迄のその液状の岩石等が渦巻運動をする事によって、上部マントルの渦巻運動が地殻や沈み込み帯の固体部分に与えるエネルギーを、台風が発達するのと同じ係数で計算すると。

1日当たり10kmの地殻や沈み込み帯には9.4mの自転速度を加速させるGがある。

1日当たり15kmの地殻や沈み込み帯には37.6mの自転速度を加速させるGがある。

1日当たり20kmの地殻や沈み込み帯には94.2mの自転速度を加速させるGがある。

1日当たり30kmの地殻や沈み込み帯には188.4mの自転速度を加速させるGがある。

1日当たり100kmの沈み込み帯には848.2mの自転速度を加速させるGがある。

1日当たり200kmの沈み込み帯には1790.7mの自転速度を加速させるGがある。

1日当たり500kmの沈み込み帯には4618.1mの自転速度を加速させるGがある。

1日当たり670kmの沈み込み帯には6220.3mの自転速度を加速させるGがある。

自転運動を更に回転させるエネルギーが存在し続けている事を理解するに至り、この自転運動を加速させるエネルギーは、私の考え方では北緯または南緯77°付近で渦巻運動は吹き出して赤道の方に向かって運動を継続しながら進みますが、このマントルの渦巻運動が赤道に向かって、上部マントルの運動に与えるエネルギーが大きい場所で、海嶺を生じるエネルギーを与えていると考えております。

また緯度が高緯度になるに従って自転運動を更に加速させるエネルギー数値は少なくなり、緯度20°付近では赤道付近の96.3％程度に下がり、30°付近では86.1％程度に下がり、50°付近では63.8％程度に下がり、70°付近では34％程度まで下がりますが、自転速度を加速させるエネルギーが存在している事が分かります。

3.3　火山の噴火活動について

この火山の噴火活動についても、今現在の知識で知られている事を示すと。

マグマと呼ばれる部分が地殻部分を上昇する事によって火山活動が起こる事を示しており、板状のプレートの沈み込み帯と呼ばれる部分の上部で起こる事が多い事、しかし、私が考えるには、この板状のプレートが海底を横方向に移動している頃に、魚類の死体や糞、或いは海藻類等が海底に積り溜まった物が、大きな水圧の影響を受け続ける為に岩石化し、その岩石化した有機物は、板状のプレートに乗ったまま沈み込む事によって、液状の上部マントル付近に来ると、有機物は高温になる為にメタン等の可燃物の気体になって、地殻に向かって急浮上して地殻に着くと、それ以上は上に行く事が出来なくなるので、地殻部分に沿って少しでも高い部分に集まり続けます。

しかし、可燃物であるメタン類は、可燃物の燃焼範囲に達しなければ高温であっても燃焼する事は無く、酸素とメタンの混合気体が燃焼範囲に達した状態であっても、高圧状態である為に発火せずに溜り続け、何かの原因によって着火された時、燃焼範囲に達している可燃性ガスが発火して燃焼を始めます。

燃焼し始めた上部の地殻の岩石類や鉱物部分がその燃焼熱によって溶解され、溶解された岩石類や鉱物類は比重が軽くなる為に上部に浮上する現象が起こり、私は、この可燃ガスの燃焼によって、上部の岩石類が溶解した物が「マグマ」であると思っております。

その地殻の岩石類や鉱物類の距離が短い場合、つまり、海底や海面付近で起こった場合、火山の噴火に伴って溶岩流が発生する事があるが、地殻部分の高い山等が連なる場所では、可燃物の燃焼が始まっても、地上に噴火活動が起こるまでに少し時間がかかり、溜まっている可燃物の量が少ない場合には、噴火現象が起こらないまま燃焼が終わってしまう場合もあり、そのような場合には、噴火活動が観測されても、噴火する前に火山活動が終わってしまう事もあります。

また比較的高い山の上で噴火が起こった場合には溶岩流が起こる事は少なく、上昇中の溶岩流等は地下水等に接した時、水蒸気爆発が起こり、この水蒸気爆発が起こった場合、その上部の岩石類が、水蒸気爆発のエネルギーで吹き飛ばされる噴火活動が起こる事もあると思われます。

第4章

人類の誕生

私が聖書や、多くの預言集等を調べた事によると、神によって人類が最初に創造された時は、紀元前4026年に男である「アダム」が創造された事は記されましたが、神が人を創造する時、自分に似せて人を創造した事と、その創造した人の脳の働き方の中に欠陥がある事に、神は気づき、しかもその欠陥は、神自身の欠陥である事に気づいた神は、人を創造した事を悔やんだ事が示されております。

私が、人類が創造された時と、この地球上の過去の生物類が生存していた記録も調べた限りでは、人類と類人猿とでは、その大きさや形状や二足歩行をする事などは良く似ておりますが、頭骨の形状の前頭葉の部分は、人類の頭骨は前部に広がりがあり、その為に頭頂部の尖り部分が類人猿にはあるが人類は無いので、類人猿が人類の先祖にはならない、と考えており、また類人猿が生存していたと思われる時代から、人類が誕生した時期の間には大きな時間差があるのです。

また、人類の脳の働き方の中には、他の動物類には与えられていない、「考える」という能力が与えられているが、類人猿の脳はその能力が与えられていないので、「本能」のみで行動していた故に、神に背く事は無かったが、人の脳は「考える」という能力が与えられている為に、神に背く行為が多く、神は人を創造した事を悔やみ、女であるエバを、男であるアダムの肋骨の1本から創造して子孫を残せるようにしたのです。

また、神の「欠陥」と人の脳の働き方の「欠陥」を説明すると、「自分の周りにいる者に命令して従わせる事を好み、逆に命令されて、その命令に従う事は嫌いな事に属し、命令に背く者に対して復讐をする」という特徴があり、神と人とではその能力が著しく違う為に、神が復讐をされると、復讐をされる人の子孫達は、自分の能力では絶対に正しい道に戻る事は不可能である事を神自身が良く知っている故に、神は救いの計画を立てたのです。

しかし、その救いの計画が人々に及ぶ以前に、神は大洪水を起こして多くの人々を全滅させ、比較的神に従ったノアを使って、ノアの家族以外の人々は全滅させられた事が記録されており、その大洪水が起こった時期は、紀元前2369年で、アダムが創造された1657年後になります。

また、ノアが死亡した年齢は937歳であった事や、アダムが死亡した年齢は930歳であり、このノアはアダムから10代目の子孫であり、又ノアが死亡する時期までの人が生き続けられるのは900年前後は生き続けられた事が記録されております。

4.1　人類が火をコントロールしていた

アフリカの複数の遺跡から見つかった炭化物や燃えた骨等から人類は火をコントロールしていたと考えられ、火の制御は様々な恩恵をもたらし、人間は寒い地域でも生活が出来るようになり、肉食動物類から身を守るようにもなった。

火を用いて焼いたり、炙り焼きする事で食生活が大きく向上し、火は活動にも利用し、松明を作ったり、周囲に火を放って動物を一定の場所に追い込み、仕留める活動も始まった。只、火を燃やすだけの初期の時代から、石で周りを囲った「かまど」を使い始め、更に周囲を粘土で囲って空気の取り入れ口を付けた、より効率の良い

「かまど」が考案され、熱の調節と高温化が可能になった。

家事用の「かまど」に粘土を使う事によって、火が粘土を変容させる力がある事を発見し、粘土は塗り壁や日干しレンガに使われ、古代の重要な建築資材だったが、より高い耐久性が求められる重要な建築資材には製陶技術を使った、「焼きレンガ」が求められるようになり、手ないし型枠を使って成型したレンガを乾かした後、大量に積み上げて燃料の薪で覆って焼く、焼きレンガの建築の壁は人々を敵や自然災害から守った。

また、粘土とろくろを用いて陶器類を作る技術や、ろくろの板を縦に使う事を思いつき、厚い一枚板2枚を軸に通して荷車を作り、荷を運ぶ移送用の車輪が発見され、回転軸が発見される前には、人間は動物を家畜化して用いて鋤を引かせる牛を使い始め、ラクダ、象、馬、リャマ、山羊は皆荷役動物として使われ始めた。

4.2　神に選ばれた民族が、神に導かれ船を作ってアメリカに移住した

先述のノアの大洪水が起こった後には、それ以前の多くの人類は全滅したと思われるが、その73年後には「バベルの塔」の建設が始まり、神は激しい怒りを示し、民族同士の言葉を混乱させて言葉を通じなくされた事が報じられております。

またその頃に、ヤレド人という民族は神に恵みを示され、物を書き記す能力が与えられた最初の民族である事が示され、更に神はヤレド人に対し、「神の命令に従うなら約束の地を与える事と、その子孫も神に従うなら生き続けるが、背くなら滅びる」、という約束を交わして、神に導かれて何艘かの船を作って、アメリカ大陸に移

住した最初の民族である事が、金の板を薄く引き延ばした金属板に記録されている事が報じられております。

紀元前1169年にアメリカ大陸に移住したヤレドの民は、民が互いに分裂して争い全滅した事が記録された、金の板を薄く引き延ばした金属板は、今現在も残っている事も報じられております。

またこのヤレド人達がアメリカ大陸に移住した事や、多くの年月をその子孫達が記録した金属板がアメリカ大陸に残っておりましたが、その記録には、この民族は自分達の生活上の行動や、民族同士が話し合いによって、多数決で決める民主主義の考え方や、その氏族達の家系の記録、又闇の行動と呼ばれる「**秘密結社**」の結成の仕方や、運営の仕方が記録されております。

4.3　神の救いの計画が動き始める

紀元前2018年にアブラハムが誕生した事と、アブラハムが75歳の頃に、神がアブラハムの前に現れて、「貴方と貴方の胤に『カナンの地』を与える事を約束した事」(創12：7) が示されております。

更に紀元前1921年にアブラハムが97歳の時にも神が現れて、「どうか目を上げて、貴方のいる所から、北、南、東、西の方を見るように、貴方の見ている全ての土地、私はそれを貴方と貴方の胤に与えるからである。そして、私は貴方の胤を地の塵粒のようにする。それでもし、人が塵粒を数えられるのであれば、貴方の胤も数えられるであろう。立って、その地をその幅と長さ一杯に行き廻りなさい。それを貴方に与えるからである」(創13：14～17)。と約束したが、しかしこの時期のアブラハムに子供は一人もいなかったのです。

更に紀元前1919年に、神はアブラハムが99歳の時に再度現れ、「そして私は、私と貴方及び貴方の後の代々に亘る貴方の胤との契約を、定めのない時に至る契約として履行し、私が貴方の後の胤に対して神である事を示す。そして私は、貴方と貴方の後の胤に、貴方が外国人として住んで居る土地、即ちカナンの全土を定めのない時に至る所有として与える。私が彼らに対して神である事を示すからである」(創17：7、8)。

神はアブラハムに更にこう言われた、「貴方としても私の契約を守るように。貴方も後に来る代々に亘る貴方の胤も、これは貴方達を守る、私と貴方達、更に貴方の後の胤との間の私の契約である。即ち貴方達の内の男子は皆**割礼**を受けなければならない。実に、貴方達は自分の包皮の肉に割礼を受けなければならない。それが私と貴方達との間の徴と成るのである。

そして貴方達の内の男子は皆生後8日目に割礼を受けなければならない。代々に亘り、家に生まれた男も、貴方の胤の者でない異国人から金で買い取られた男も、全て金で買い取られた男も必ず割礼を受けなければならない。貴方達の肉の身に於ける私の契約は、定めのない時に至る契約となる。そして自分の包皮の肉に割礼を受けていない無割礼の男子、そのような魂は民の中から断たれねばならない。その者は私の契約を破ったからである」(創17：7～14)。

アブラハムが割礼を受けて1年後に、アブラハムの妻であるサラによってイサクが誕生し、イサクが成長すると神はイサクに対してもアブラハムと同様の約束を交わし、イサクが60歳の時、その妻ラケルによって、エサウとヤコブの双子の男子が誕生し、その子供達が成長した頃に、エサウは僅かばかりの食べ物を得る為に、長子権を弟のヤコブに売った故に、神はヤコブとも、アブラハム、イサクと同様の約束を交わした事が記され、またヤコブは神からイスラエルと名乗るように指示された事も報じられております。

その後ヤコブには4人の妻が与えられて、11人の男子と1人の女子を得、その子供達が成長する過程で、1人の男子で名がヨセフは預言的な言葉を兄弟や両親に話す故に、兄弟達から恨まれ、捕えられてエジプトの地に売られてしまいましたが、このヨセフには常に神が共にいて良い方向に導き出す故に、エジプトの王ファラオに次ぐ権力者となり、またカナンの地には大規模な飢饉が起こり続けた為に、ヤコブは子供達に命じて、エジプトに食料を買いに出掛けてヨセフに遭いましたが、ヨセフは自分の兄弟達に身分を隠して食料を売り、また両親や兄弟達をエジプトに迎え入れる対策によって、イスラエル民族は皆エジプトに逃れて移住した事が示されております。

4.4　神の人モーセの誕生

イスラエルの民族達が移住して多くの年月が経つに従って、エジプトの王ファラオや民から迫害され続け、紀元前1593年には、後の神の人であるモーセが誕生した事と、神とアブラハムが割礼の約束を交わした326年後であった事と、モーセが成長して40歳の時に、モーセはヘブライ人を助ける為にエジプト人を殺し、その事が原因でエジプトからミディアンに逃れ、モーセはそこで妻を与えられて結婚した事も示されております。

紀元前1514年にモーセが79歳の時、神がモーセの前に現れ、神の指示によってイスラエルの部族達が住んで居るエジプトに戻り、翌年にはイスラエルの民族達を引き連れてエジプトを去り、シナイ山（ホレブ）で神から律法が授けられ、アブラハムとの契約後430年の苦しみが終わり、モーセは神から授けられる事柄として、聖書の記録が始められた事が記録されております。

しかし、この聖書の編集の仕方は、極めて難解であり、正確に理解するのは難しいが、聖書には、その分かり難い表示を、極めて分かり易く明瞭に書き記して啓示する義務が課せられている事と、その義務を果たした最初の者がキリストに成れる事と、律法はキリスト一人の為になるように構成されているので、キリストが現れるのに先立って、律法の変更が生じる、と定められているのではないかと考えられます。

また、選民であるイスラエルの民は、神に背く故に、神が与える事を約束した「カナンの地」に入る事が許されず、神によって荒野を巡り歩かされて、神に背く成人男子は全て滅ぼされた後に、カナンの地に入植しましたが、モーセもカナンの地に入る事は許されず、神が語った事柄など、即ち聖書の記録をし終わった頃に、生き残った民族は、ヨシュアを指導者にして入植した事が記録されております。

更に、モーセによって記録された書物には、後の世代に民に対して「モーセと同じタイプの預言者」が民に与えられる事が記録されており、神の救いの計画に従うと、その「モーセと同じタイプの預言者」を民に与える事を確定する為に、まず生きた人間の生贄を捧げる事によって聖書は、生贄として捧げられる物を「第一の者」として示し、その“第一の者”が十字架刑によって、「第二の者」即ち「モーセと同じタイプの預言者」が、末の日と呼ばれる時期に民に与えられる事が確定したのです。

4.5　突き癖のある牛の飼い主について

この聖句が示す事柄に該当する項目は非常に多く、その聖句を示すと「牛が男または女を角で突いて殺した場合、その牛は石殺しにされる。またその牛の肉は食べてはならぬ。その牛の飼い主は罰を受ける事は無い。但し、その牛に前から角で突く癖があって、飼い主はそれについて警告されていたのに、その注意を怠っていた為に、牛が男または女を殺した時には、牛は石殺しにされ、飼い主も死刑を受ける。もしも牛の飼い主が、死の代わりとして弁償すべき金額を決められたなら、飼い主は自分の命を贖う為に、要求された物を全て支払わなければならぬ（出エジプト記21：28〜30)」。と示し、この聖句に該当する事柄は非常に多く見られます。

つまり、航空機類、船舶類、自動車類、高層建築物類、農薬類、アルコール類、医薬品類、医療行為類等が該当し、過去に於いて人が死ぬとか怪我をする等の事故が起こった場合、その類似した事故が絶対に起こる事が無いように看守をして、人命を守る義務が負わされている為に、未来に於いての人々の移動手段としては、航空機類、船舶類、自動車類等は廃止されて、従来の船やバスを少し改良した物が空を飛行する事によって、移動するかまたは、物資の運搬をする事になるのです。

次の「牛が男の子または女の子を突いた場合でも、先に述べた定めに従って処理されねばならぬ」(出エジプト記21：31)、「牛が男奴隷あるいは女奴隷を突いた場合は、銀30シェケルをその主人に支払い」(同21：31) とあることからしても、相手に死、または傷害を負わせてしまったことに対しては重い責任があると認められていたことが分かります。また、年齢や立場・身分により対価に違いがあったかもしれないにせよ、「命」や「賠償金」という「値」で、その責任の重さが定められていたと解釈することができるのです。

第5章

リーハイの民も神に導かれてアメリカ大陸に移住

リーハイも預言者である事や、そのリーハイの息子の一人であるニーファイも預言者であり、その預言者であるニーファイが自分達の生活や行動の記録を紀元前600年（アダムが誕生後3426年）から始める。

リーハイやニーファイが預言した記録では、水によるバプテスマや十字架の刑や十二使徒の召しの預言や末日に起こる預言が含まれている事と、モーセを通じて与えられた律法を記録した真鍮（しんちゅう）の板を奪った事等が記録されている。

また神はリーハイに対して、「神の命令に従うなら土地を与える事と、その子孫達も神に従うなら生き続けるが、背くなら滅びる約束を交わし、新天地が与えられる事」が記録され、ニーファイが一艘の船を作り、紀元前592年にアメリカ大陸に移住。リーハイの民がアメリカ大陸に移住した後、ニーファイの民と兄レーマンの民に分裂して争うようになった。

ニーファイの民の記録はニーファイが死亡後も、その生活や体験等が記録され続け、また、ニーファイの民はアメリカ大陸の探検を幾度も行い、前121年にヤレド人が記録した金属板を発見して持ち帰ったが、その記録を読む事が出来なかった（アダムが誕生後3905年後）。

前92年にニーファイの民は解訳器を用いてヤレド人の記録を翻訳した事、この記録はヤレド人の葛藤の記録、また、秘密結社の作り方や運営の仕方が記録されていた、この解訳器はニーファイが神に教えられて作った物であったが、ニーファイが死亡後には解訳器を使用できる者がおらず、神に解訳器の使い方を教えられて、ヤレド人が残した記録の翻訳を行い、その事によって得た知識によって、民が集まって協議して、多数決で決める民主主義という考え方を人々は受け入れたのです。

西暦34年にニーファイの民にイエス・キリストが現れて、多くの預言の言葉を語り、不思議や奇跡を行い、また、ニーファイの民の中から十二使徒を招集し結成して、不思議や奇跡を行う権威を与えられ、十二使徒達も不思議や奇跡を起こしてニーファイの民を導いた事や、イエスはニーファイが記録から一部を削除した事が示され、イエスは数年でいなくなり、イエスが権威を与えられた十二使徒達は、引き続き活躍するが、高齢になって死亡して、不思議や奇跡を起こせる者がいなくなると、民の間に争いが起こるようになった事が記されます。

西暦201年の記録によるとニーファイの民は再び民主主義の考え方を取り入れ、ニーファイの民同士で争うようになり、時が経つにつれて、暗殺や闇討ちを合法的に行う秘密結社を結成して悪事を行うようになった。

西暦421年、終にニーファイの民の最後の記録者であるモルモンの息子のモロナイが記録を受け継ぎ、ニーファイの民の争いが激化して全滅し、その直前に記録を隠し、記録者自身も死亡した事が記録されております（アダムが誕生後4447年）。

私吉川義弘の考え方では、この“民主主義”という考え方は、神が命ずる掟ではなく、人々が協議の結果を多数決で決める定めである故に、神はその考え方の人は「敵」として考える故に、人々の間に争いが生じ、その傾向が強くなればなる程、人々の争いも激化する故に、ヤレドの民も、ニーファイの民も全滅し、逆に神に背き続けたレーマン人の民は文字を書く事も読む事も出来なかったが、この民の子孫達は生き残っているのです。

5.1　イエス・キリストについて

書物等によると、一般にキリストはイエスの別名のように考えられ、新約聖書の中でパウロの手紙等ではキリストとイエスとが区別されている場合もあるし、古代ローマの歴史家達は多くの場合キリストを《油注がれた》を意味していた。旧約聖書の時代で、イスラエルの預言者達によって《頭に油注がれて王位に就いた人物》、即ち王を意味する者で前1000年頃ダビデは油注がれて、イスラエルの王位に就いている。

ユダヤ教徒は、この終末の時にダビデの子孫からメシアが現れて、イスラエルを中心に《神の王国》をもたらすと信じており、ヘブライ語の《メシア》がギリシア語の《キリスト》と呼ばれ、日本では《救世主》と訳される者であり、歴史的にはキリストとイエスが区別されなければならない。

ユダヤ教徒はイエスをキリストとは認めておらず、今でもこの世の終わりにメシア、つまり、キリストが来臨すると信じている。イエスは最終的にイスラエルに上り、激しくユダヤ教の神殿を批判し、当時のエルサレムの神殿は、ローマ属州であり、ある程度の自治を赦されていたので、ユダヤの支配者達は、イエスの行動を直接のきっかけとして、ローマ当局に僭称者（自分の身分を超えた称号を勝手に名乗り、民を扇動した者）として訴え出、ユダヤ総督ピラトにより、政治的反逆者として十字架刑に処せられた。

私吉川義弘に授けられた知識では、神の救いの計画の中には、多くの預言者達によって知らされ続けており、まず、第一の者として、生きた人間の「生贄」として捧げられる事によって「第二の者」を「神の息子」として養子縁組をする事と、また第一の者には、“第二の者”の予型として行動する任務が与えられており、更に多くの弟子達を作り、その弟子達にも、不思議や奇跡を起こす事が出来る能力を与えました。

つまり、この“第二の者”は、終末の時に至ると、この者は「神」として人々の前に出る者でありますが、この者が誕生した時には、生贄として捧げられた「第一の者」、即ちイエスの魂が、肉体の中に憑依する事によって、神自身もこの者の肉体の中に住み着く事、この者は「三位一体」の状態になっておりますが、聖書の中でこの者には、この者しか知る事が出来ない新しい「名」が与えられております。

その名は、旧約聖書の冒頭から頻繁に使用され続けており、聖書の翻訳の仕方によって「主」或いは「神ヤハウェ」または「神エホバ」がその者に与えられた名であり、この者が人々の前にこの名を用いて現れる時期になると、人々は条件を満たすと生き続ける事が可能になり、また人々が生き続ける事が可能になる時期には、人々を創造した神は死ぬ事が預言されているのです。

即ち、イエスが十字架刑に処せられた事によって、「第二の者」である「神の息子」が、末日に与えられる事が決定されましたが、イエスは自分が「第二の者」である事を語り続けた事で、その弟子達によって記録された新約聖書は、誤りや間違いが多くなり、また旧約聖書の翻訳にも悪影響を及ぼしているのです。

また、イエスが十字架刑に処せられた後、その弟子達によって多くのキリスト教の教団が誕生して、世界中にキリスト教が波及する事となり、ユダヤ教やイスラム教等と共に多くの信者が活動し続けているのですが、これらの宗教団体の活動は全て無意味であり、その無意味な事柄の為に多くの人々が参加し、また巨額の資金がつぎ込まれ続けており、これを改善する事が急務であると思っております。

5.2 プリズムについて

（角柱の意）光の屈折・分散等を起こさせるのに用いるガラス等の三角柱。直角プリズム・屋根型プリズム等がある。滑らかに研磨された平行でない平面を2つ以上持つ透明体。

用途により、分散プリズム、偏角プリズム、偏光プリズム等がある。ギリシア語及びラテン語のprismaに由来し、原義は〈削る〉。起源については明らかでないが、多くの稜を持つガラスに光を入射させるとスペクトルが得られる事は古くから知られていたようで、1世紀にはL・A・セネカが書いた《自然の研究》にもこの事が述べられている。

プリズムに関してはニュートンが行った太陽光によるスペクトルの実験が有名で、彼は第一のプリズムによって得られたスペクトルを第二のプリズムを通すと再び白色になる事から、それぞれのスペクトルは元々太陽光に含まれており、これが集まって白色光となる事を明らかにした。

5.3　六分儀について

手持ちで操作する小型の天文観測器具。通常は経度・緯度決定の為の天体の高度測定に使われる。主要部分は望遠鏡、固定鏡、腕と共に動く指示鏡、円弧状の目盛り等、全体の形が1/6なので六分儀の名がある。

鏡で反射した天体の像と水平線を望遠鏡の視野内で一致させた時の腕の位置で天体の高度が分かる。使用法が簡単で得られる精度が良い為、古くから航海者に愛用されている。

私の考えでは、この六分儀は誰によって、どの時期に発明されたかは分かっていないが、船によって航海する者達にとっては、その六分儀によって測定した事で得られる情報、自分達が地球上のどの位置にいるかを理解出来る可能性が極めて高い器具であり、この器具が航海者達に使用される事で、遠洋航海が可能になったと思われます。

また遠洋航海が可能になって、それまで知られていなかった西インド諸島・キューバ・ハイチ・ジャマイカ・南アメリカ、北アメリカ大陸などが発見され、マゼラン海峡の発見や、世界一周を完成したと思われます。

5.4　レンズの発明

ガラス、結晶、プラスチック等の透明物体の両面を凸又は凹の球面に研磨した物を「レンズ」と言う。特別な場合1面が平面の物もある。中央部分が縁よりも厚い物を凸レンズ、その反対に中央部分が縁よりも薄い物を凹レンズと言う。

レンズの語源は人類最古の栽培植物であるヒラマメ（レンズマメとも言う。ラテン名lens）に由来する。これは直径5mm前後の、両側が膨らんだ丸く平らな形をしていて、凸レンズがこの形に似ている為である。

レンズの最初の用途は、太陽の光を集めて火を付ける火取りガラスと拡大鏡であったと推測される。拡大鏡に使われたらしい出土品は多いが、その決め手になる記述は見出されていない。凸レンズの拡大作用に関する最初の記述は11世紀のアラビアのイブン・アルハイサムの光学書に於いてであり、これが中世のヨーロッパに伝えられて拡大鏡や老眼鏡の発明に発展したとされている。

1280年頃にイタリアに於いて老眼鏡が作られ始め、その後1430年頃から近視眼用の凹レンズが作られるようになった。当時の眼鏡レンズはほとんど全てが透明な鉱石、特に水晶や緑柱石を材料にした高価な物であった。

その後、顕微鏡（ヤンセン父子、1590～1609)、望遠鏡(1608)、色消しレンズ等の発明を経て、更に19世紀以降の各種光学ガラスの製造、レンズ設計法の確立とあいまって、現在の複雑なレンズへと発展してきた。

5.5　未来は決定済み

この言葉は南フランスに住んだ医師・占星術師、ノストラダムスのものです。彼が今日名を高めたのは医師としてではなく預言詩の作者としてであり、四行詩節を連ねた長大な作品は、惑星の運動から得た予知と、神霊から送られた直感とによって書かれたという。洪水、疫病、飢餓、戦争等の異変が巧みに畳み込まれるように書かれ、世界終末の幻視も登場し、また彼が著した文の「序」には、「未来は決定済み」である事が示されているのです。

序

お前に覚書を送る目的でペンを執る。私は先祖伝来の言葉をお前に残す。それは預言が隠している謎を解いてくれる。預言を空虚にしているのは時だ。自分自身の中に全ての時を含んでいる。示してある天文学の表現方法によってのみ、預言を理解する事が可能になり、それは苦痛なしには可能にならない。時が速やかに過ぎ去る、これから訪れる時代、それは大層異常な形で現れ、その法や教義や型等は普通の物とは異なる。今の時代の様式では限定されて誤解され、言う事を信じようとしないだろう。訪れる**未来は決定済み**だ。

更に、「未来の王国は非常に違った形になる、もし私がその未来を詳しく説明すれば、今の時代では間違って理解され、この預言を信じようとしない。短い言葉で意味を分かり難く、また幾通りにも読める『短詩』を表現の手段に選んで、一定の法則による厳しい難関で理解出来難くし、一つ一つが他の詩と関連し合うようにし、全体を難しく意味の分からない形に編集して、全体の事柄が理解に相応しい形になる。

王や権力者達に『**真意**』を知られない為であり、だからこそ慎重に隠したのである。出来るだけ分かって欲しいのに、出来るだけ分からぬようにせねばならない。私は言葉で話す事も文書で発表する事も止めて、遠くの時代の人々にだけ話す事にしたのだ。

場所と起こる事件を正確に示し、災害、預言地域に与える損害、様々な範囲に広がった種々な物によって教える。それぞれの詩が他の詩と絡み合い短い詩で言いたい事を言う。崇高な預言者とは別に、我々が『**天才**』と呼ぶ尊い者が居る、彼らだけが神の真髄を悟る事が出来る。

第6章

ルネサンスについて

ルネサンスとは14世紀から16世紀に掛けて、イタリアを始めとしてヨーロッパ各地に生起した大規模な文化的活動の総称。哲学・文献学・キリスト教学・美術・建築・音楽・演劇・言語学・歴史叙述・政治論・科学・技術等それぞれの文化領域に於いて、顕著な発展が示され、また、ルネサンスの用語自体は、フランス語の《再生》を表す語に基づく。

このルネサンスが始まる以前は、イタリアを中心とした「ローマ帝国」が紀元前7世紀頃に建てた王国が発展して、多くの地域を支配し続けており、西暦395年テオドシウス帝の時、東西に分裂して、東ローマ帝国と西ローマ帝国とに分裂し、西ローマ帝国は西暦476年にゲルマン人オドアケルに滅ぼされたが、東ローマ帝国は建国以来1000年余りにして1453年オスマン帝国に滅ぼされた。

この東ローマ帝国が滅ぼされた争いの時に、多くの美術品や文献物や建築物等が焼失した為、その焼失して無くなった美術品や文献や建築物などを復元する為に、多くの人々が参加して復元を行う事によって、更に美術、文献、絵画、音楽、科学、建築等の発展を促したと記憶しております。

又、私が過去の記録類を調べた限りでは、この「ルネサンス」の時期以前の人々は「神道」から離れる事なく、「生きている人々の絶対に守るべき道」のような考え方であったと記憶しており、また宗教活動が人々の考え方さえも牛耳っていた事と、多くの権力者達によって争いが巻き起こされる度に、多くの人々が犠牲になり、また美術品、文献、絵画、建築物等が焼失し、更に科学者達も、その戦いの敗者側に付いていた者達は、その研究等を行っていた場所から、戦いの無い別の場所に逃げ延びる事によって、その研究が中断する事が起こるのです。

6.1　顕微鏡について

微小な物体を拡大して観察する事を目的とした装置。広義には電子線を利用する電子顕微鏡、イオンを利用するイオン顕微鏡を含むが、単に顕微鏡と言えば光を利用した光学顕微鏡を指す。光学顕微鏡は、対物レンズによって微小な物体の拡大された実像を作り、これを接眼レンズによって拡大しながら明視の距離に虚像を作る物である。

この対物レンズと接眼レンズ両者の組み合わせによって構成されるいわゆる複式顕微鏡は、オランダのヤンセン父子によって1590年から1609年に掛けて発明されたと言われ、この複式顕微鏡は今日の全ての顕微鏡の基本的構成となっている。これに対して1個或いは数枚の組み合わせであっても、単一の凸レンズによって物体を拡大して見るいわゆる虫眼鏡等のルーペ形式の物を単式顕微鏡と言う場合もある。

しかし、ルーペ形式の物で倍率を上げる為には、短い焦点距離の凸レンズによって拡大された虚像を明視の距離に作らねばならず、高倍率化と共にレンズと試料が人間の目に非常に接近せざるを得ない事、視野が狭くなる事等の原理的難点の為に限界がある。

これに対して複式顕微鏡形式は、まず焦点距離の短い対物レンズで試料の拡大された実像を鏡筒の上端近くに作り、これを更に接眼レンズによって明視の距離に拡大された虚像として作る物で、この時、目と試料とは少なくても鏡筒長だけは離す事が出来て観測は容易になる。また接眼レンズの機能は単純に言えばルーペそのものであるが、視野の周辺の光を効果的に目に導く視野レンズ（フィールドレンズ）の機能も兼ねる。

顕微鏡の性能はほとんどその対物レンズで決定されると言っても過言では無く、顕微鏡の歴史であるとも言える。対物レンズの先端に平凸レンズを、物体側にレンズの平面側を置いて配置するのはイタリアのG・B・アミチ（1786～1863）に始まるとされている。また、コマ収差の無い像を得る為の重要な不遊点の発見はイギリスのJ・J・リスター（1786～1869）によると言われているが、この後にE・アッベによってコマ収差除去のため正弦条件として理論化された。

対物レンズで発生する色収差の除去も大きな問題であり、この点も望遠鏡と共通しているが、古くはクラウンガラスとフリントガラスの組み合わせによる2色の色消し、いわゆるアクロマートから始まり、光学材料の発達に伴い、現代の3色について色収差の十分に補正されたアポクロマートレンズにまで到達するのである。

顕微鏡対物レンズの性能を表す分解能には、幾何光学的収差をいかに良好に補正しても光の波動性に基づく限界がある。これを最初に理論的に解明したのもアッベであって、その回析理論は顕微鏡理論の基礎を作ったと言える。

光学顕微鏡は生物、医学、鉱物、金属工学を始め農業、水産、工業に広く用いられている。特に顕微鏡対物レンズの光線を逆行させれば、物体を拡大する代わりに縮小投影する事が出来、この延長線上に今日の半導体産業の基礎をなすリソグラフィー技術が築かれたと言う事が出来る。

6.2　望遠鏡について

対物レンズと接眼レンズ、或いは凹面鏡（対物鏡と言う）と接眼鏡の組み合わせによって遠方の物体を近づけ、拡大して観察する為の装置。取り扱う電磁波の波長領域の拡大と共にX線望遠鏡、電波望遠鏡等も開発されたが、単に望遠鏡と言う場合には可視光の領域を対象にする光学望遠鏡を指す。

歴史的には17世紀初頭、オランダのミデルブルフにイタリアから技術導入されたガラス工場があり、クリスタルガラスが生産され、レンズ研磨から眼鏡の生産まで行われていたが、レンズ研磨師のH・リッペルスハイが1608年に望遠鏡の特許を申請したことが記録に残っている。

当時の望遠鏡は用途としてまず軍事目的が考えられていた。このオランダに於ける望遠鏡の成功を聞いたガリレイは翌1609年、理論的解析を行い、自ら望遠鏡を試作した。リッペルスハイからガリレイに至る望遠鏡は、凸の対物レンズと凹の接眼レンズの組み合わせであり、オランダ望遠鏡或いはガリレイ望遠鏡と呼ばれている。

像は正立するが視野の狭い欠点があり、現在ではオペラグラスに用いられている程度である。J・ケプラーは1611年〈屈折光学〉を著し、その中で対物レンズ、接眼レンズ共に凸レンズを用いた天体望遠鏡について述べている。これは今日ケプラー望遠鏡と呼ばれる物で、C・シャイナーによって1615年に作られた。得られるのは倒立像であるが、倍率を上げても視野が広く取れる長所がある。

天体の観測では倒立像であっても差し支えないが、地上望遠鏡として利用する場合には対物レンズと接眼レンズとの間に像を正立させる光学系（正立系）を入れる必要がある。これにはレンズとプリズムを利用する方法があり、後者は本格的な双眼鏡に用いられている。ガリレイ式、ケプラー式のように、レンズを用いた望遠鏡〈屈折望遠鏡と言う〉では、色収差を完全に無くす事は出来ない。

この欠点を除く為に、天体の実像を作るのに凹面鏡を利用した物が反射望遠鏡である。スコットランドのJ・グレゴリーが初めて実用的な物を設計したとされている。日本への望遠鏡の伝来については幾つかの説があり、1613年イギリスの使者が献上した物が最初らしい。遠眼鏡、千里眼、星眼鏡等の名で呼ばれていたが、江戸初期には地上用の物の製作は幕府により禁止されていた。

1830年代には国友藤兵衛一貫斎が反射式の優れた望遠鏡を作っており、月の表面や太陽黒点のスケッチを残している。

天体望遠鏡の一部を除けば、一般の望遠鏡はそのほとんどが屈折望遠鏡である。屈折望遠鏡は、焦点距離の長い対物レンズの後側焦点と、焦点距離の短い接眼レンズの前側焦点を一致させた物である。対物レンズに入った平行光線は接眼レンズから平行光線として出て行き、全体として一種の無焦点（アフォーカル）系であるが、対物レンズから物体を見た小さな光線の開き角は、接眼レンズから出る時は大きく拡大される。従って望遠鏡を通して見る遠方の物体は拡大されて見える。

この物体を見込む開き角の拡大比率を望遠鏡の倍率と呼び、対物レンズの焦点距離を接眼レンズの焦点距離で割ったものに等しい。尚望遠鏡の分解能は接眼レンズの倍率が十分高い場合に識別できる最も接近した2点の間隔を角度で表したもので示される。理想的な場合この分解能は光の回折現象で決まり、光の波長に比例し、対物レンズの口径に反比例する。

望遠鏡は天体観測用の他、地上用にも多く用いられ、双眼鏡、オペラグラス等もその一種である。また各種照準望遠鏡、潜望鏡といった軍用にも非常に多く用いられている。測量機械、ボアスコープ、芯出し望遠鏡といった産業用にも多くのバリエーションがある。

この顕微鏡や望遠鏡が発明され、その性能が良くなるにつれて、科学力の発達も著しく発達するようになり、また科学力が発達するに従って「神道」から離れる者が多くなった事が感じられます。つまり、ルネサンスを迎える前の時期に至るまでは、神の教えである「神道」に対する考え方が、大昔から人々によって支え続けられておりましたが、特に、ルネサンスを過ぎた頃より、顕微鏡や望遠鏡が発明され、その性能が良くなるに従って科学力が著しく発達したと思えるのです。

しかし、私の考え方では、どんな微細な化学・科学であっても、神が人々の行いや能力に合わせて化学・科学の知識が授けられるのであって、人の能力だけではどのような努力を重ねても化学・科学の知識を生み出す事は不可能であると思っているのです。

6.3　ノーベル賞について

スウェーデンの科学者・工業家Ａ・Ｂ・ノーベルはダイナマイトの発明、バクー油田の開発等で巨万の富を築いた。家族を持たなかったノーベルは自分の遺産を利用して、毎年〈前年度に人類に対して最大の貢献をした人物〉に賞を授けるよう遺言した。この遺言に基づいてノーベル財団が設立され、1901年以来、戦争等特別な場合を除いて、毎年、物理学、化学、生理学・医学、文学、平和の各部門についてノーベル賞が授与されるようになった（1969年以来、新たに経済学賞が制定され、計6部門となった）。

受賞者は何百人という候補者の中から選ばれるが、選考の責任は、物理学、化学（及び経済学）の各賞についてはスウェーデン科学アカデミー、生理学・医学賞についてはカロリンスカ研究所、文学賞についてはスウェーデン・アカデミー、平和賞についてはノルウェー議会にそれぞれ設置されたノーベル賞委員会が負っている。

授賞式はスウェーデン国王臨席の下、毎年ノーベルの命日に当たる12月10日に行われ、スウェーデンの国家的行事となっている。又受賞者は受賞に際して〈ノーベル賞記念講演〉を行う事が慣例となっている。

ノーベル賞は賞状、メダル及び賞金から成る。ノーベルがノーベル賞の授与によって科学者の業績を讃えると同時に、科学者に経済的独立を与え、研究に専念出来るようにしたいと願っていた事もあって、ノーベル賞の賞金額はこの種の賞の賞金額の中では、最高位に設定されている。

自然科学部門に関してノーベル賞の権威は絶大なものがあるが、それは受賞者の選定が、前記選考委員会の長年の努力を通じて、他の諸部門に比べて客観的で公平だとの国際的評価を受けて来た事に主として起因している。

実際、後年に選考にミスがあったとされる事例も無い訳では無いが、ノーベル賞の受賞者リストは20世紀を代表する科学者を網羅している。また、ノーベル賞受賞者の科学界に於ける稀少性が、賞の権威と受賞者のエリート性を高めているという事情もある。と言うのも、ノーベル賞の制定以降、比較的最近に至るまで、科学者総数は指数関数的に増加を示して来たのに、ノーベル賞受賞者は、毎年、各部門3人以内という制限と、受賞者の多くは高齢という事情が重なって、科学者総数に対して受賞者の比率は常に減少しつつあるのです。

6.4　火薬または炸薬について

この火薬と呼ばれる物と、炸薬と呼ばれる物について説明すると、まずその発火した時の性能を知る為には、その「火薬」または「炸薬」を火縄と呼ばれる導火線を作り、その導火線に点火した時に1秒間で伝播する距離によって、破壊力の性能を調べる、と私は記憶しております。

まず、「火薬」とは、ピストルや銃や大砲の弾を発射させる為や、ロケット弾の推進薬に使用され、この火薬類の燃焼速度は10m/s以下であり、もしそれ以上の速さで発火すると、銃や大砲の砲身が破裂する危険がある事が知られており、これに対して昔は「黒色火薬」が用いられてきたが、その後「無煙火薬」が用いられ、今現在に至っております。

次に「炸薬」と呼ばれる爆発物の内の「ダイナマイト」と呼ばれる物は7000m/sであり、このダイナマイトが戦争等に使用される事は無いが、ダイナマイトが発明されるまでは、「黒色火薬」が使用されており、“黒色火薬”の5倍の破壊力があると言われている。

次に「ピクリン酸」と呼ばれる“炸薬”は7100m/sであり、また1885年フランスで軍用爆薬として用いられるようになり、世界中の国々も追従し、日露戦争では「下瀬火薬」として砲弾や魚雷用の炸薬として用いられた。でも、この「ピクリン酸」には欠陥があり、「トリニトロトルエン（TNT)」に置き換えられた事が示されております。

この「トリニトロトルエン」の爆速は7000m/sであり、欠陥が無く、製造や保存するにも扱い易い爆薬である故に、今現在も軍事用として使用され続け、また多くの人命を奪い続け、多くの構築物を破壊し続けているのです。

6.5　目覚めよ、目覚めよ。力を着よ。

この言葉は預言者イザヤが語った言葉の一部であるが、この「預言の言葉」とは、神の言葉を人々に知らせる役目を帯びて、人々に語った言葉を聖書等に編集され、出版された書物に記録された物なのですが、この「預言の言葉」等の人として重要な事柄は、神によって神に背く者達の脳の働き方の中から封じられている為に、普通の人達には理解する事は不可能なのです。

もう一度預言者イザヤが語った言葉を示して、詳しく説明すると。

「目覚めよ、目覚めよ。力を着よ。ああ、主の腕よ、昔のように、過ぎ去った代々に成されたように目覚めよ。ラハブを切り刻み、竜を刺し通したのはお前では無かったか、海を干上がらせ、大きな水の淵の水を干し、海の深みを道とされたのもお前で無かったか（イ

ザヤ51：9、10)」と示した内の「**目覚めよ、目覚めよ**」を説明すると、大昔から今現在に至るまで、人々の脳の働き方は、神によって脳の働き方を、その者が更に悪くなるように強力に制限され続けている為に、まず、その脳の働き方の制限が解かれない限り、人として重要な事を、重要な事と認識できないので、まず**“目覚めよ、目覚めよ。”**が、「神の息子」として選ばれた男に及ぶ事から始まるのです。

そして次に「**大きな水の淵の水を干し、海の深みを道とされたのもお前で無かったか**」とは、神が選民イスラエルをエジプトから連れ出した時に、神がモーセを通して行った奇跡を起こしてイスラエルの民族を、海の底の乾いた地面を渡らせましたが、その選民イスラエルを追い掛けて来たエジプトの王ファラオやエジプト軍は、海の底の乾いた地面を追い掛けて来たが、その途中で海の水が元の状態に戻された為、エジプト軍は全滅しました。これと類似する事が、「神の息子」として養子縁組をされた者によって、奇跡が起こされる事を示しているのですが、この“神の息子”が一人で奇跡を行う事が出来ないが、条件を満たすと、その条件を満たした者達は、奇跡や不思議を行う事は可能なのです。

次の、「**ラハブを切り刻み、竜を刺し通したのはお前では無かったか**」についてはまだ起こっておらず、しかし、前の文書で示した奇跡や不思議が起こせる事を示しているのですが、“神の息子”と呼ばれる者が一人で奇跡や不思議を行う事は不可能でも、条件を足すと条件を満たした者達によって可能なのです。

次の「**シオンに向かって、『お前は私の民』と言った時、私は、その者の口に私の言葉を置き、私の手で隠し、天を広げ、地を固**

め。目覚めよ、目覚めよ。エルサレムよ、立ち上がれ」（イザヤ51：16、17）で示した、「**私の手で隠し**」と示すように、神は神の救いの計画の為に選ばれた者達を、一般人達から隠している事を示しており、また選ばれた男と女の間であっても言葉によって説明しても理解する事が無い。また「**シオン**」または「**エルサレム**」とは、義人であるアブラハム、イサク、ヤコブの末孫に当たる者達の中から14万4000人の女性達が選ばれており、選ばれた者の内の一人一人の個人名を「**シオン**」で示し、14万4000人の団体名を「**聖なる都市エルサレム**」の名で示されているのです。

つまり、神の救いの計画は、まず初めに選ばれた一人の男が目覚めて、未完成な律法を完成させる事と、男として他の男達より知能や運動能力が著しく優れた者である事を女達に示す事で有り、その他の男よりも著しく優れた能力を女達に認められ、女の本能を目覚めさせられるくらい優れた能力のある男である事が必要なのです。

更に次の「**目覚めよ、目覚めよ。シオンよ、力を着よ。エルサレム聖なる町よ。最も美しい服を着けよ。割礼の無い者と汚れた者は、もうお前の中に入らぬ。塵を払って立て、エルサレムよ座れ、捕らわれ人なるシオンの娘よ。首の縄をほどけ、何故なら神は仰せられる、『お前達は只で売られ、只で買い戻される』**（イザヤ52；1～3）」。

その「**目覚めよ、目覚めよ。シオンよ、力を着よ**」と示すように、目覚めた女は「**力を着よ**」と示した事が可能である事を示しており、この文書が示す事は、イエス・キリストやその弟子達が行った、奇跡や不思議を行う事が可能になるが、イエスの弟子達は皆男であったが、本物のキリスト即ち、「神の息子」となる者の弟子達は全て女であり、次の「**割礼の無い者と汚れた者は、もうお前の中に入らぬ**」と示すように、「神の息子」として選ばれた男は、「**正しい割礼**」を受けており、その“**正しい割礼**”を受けている男と選ばれた女が肉体的に結ばれる事で、「**女は目覚め**」、また「**力を着よ**」も実現し、また「**最も美しい服を着けよ**」とは、女が「妊娠」する事を示しているのです。

次に、「**シオンの悲しむ者を慰め、彼らに灰の代わりに冠を被せ、喪服の代わりに喜びの脂を、うつろな心の代わりに、賛美の歌を与える為に。彼らは正義の樫の木、その栄光の為に、主自ら植えられた物と呼ばれる**（イザヤ61：3)」。更に「**見よ、主は地の果てで告げられる、『シオンの娘に言え。見よ、救い主が来られる。主は勝利の値を従え、戦利品にその先を行かせる。彼らは〈聖なる民〉、〈主に贖われた者〉と呼ばれ、〈慕われる者、捨てられた事の無い町〉と唱えられる**（イザヤ62：11、12)』」と示された「主」という名であるが、この名は「**神の息子**」と呼ばれる者の上に書き記された名であり、またこの者しか知る事の無い名であるのです。

神の立てた救いの計画は、神が死ぬ事を望んで立てた計画である故に、神が創造した物を全て相続する事が求められており、それは**【神のご意思】**である、「**崩れた城壁を建て直す工事**」と「**倒れた墓を建て直す工事**」を開始する事を実現する事によって神に認められた時、奇跡を起こす事が可能になるのです。

またこの時代も、それ以前の時代にも、それ以後の時代にも多くの預言者達が出て、それぞれの言葉が記録されておりますが、この「預言の言葉」は、神によって特定の人物に対して、未来に起こる事柄を、知らせる為に語る言葉であるが、その言葉が実際に起こる時期を悟ることは普通の人には不可能ですが、神によって選ばれた一人の男性は「**洞察力**」が与えられている為、誤りや間違いを修正し、正しい構成に修正できるので、悟る事は可能なのです。

それ故に、この男は、他の男達以上の優れた能力、即ち、体力、運動、学力、学識、対人関係等のあらゆる能力が他の男達より優れた者である事を女に認められ、女がこの男と交わりを持ちたいと思われる事が重要なので有りますが、その事によって生まれる子供は、既に「**死亡した者の復活**」であり、またこの“**死者の復活**”が開始され始めると、新規の人々の誕生は全て終わり、人類の総人口はこの時頂点に達し、新規の人間が誕生する事はありません。

また“**死者の復活**”が開始される時期には、「**創造者である神**」が死亡する事が預言されている故に、人間以外の動物類についても、新規の動物類が誕生する事は無く、人間に良く飼いならされた「家畜類」も、野生の動物類も、ウイルス類も、細菌類も、昆虫類も、両生類も、爬虫類も、鳥類等も全て新規の動物類が誕生する事はなくなる事が預言されております。

6.6　モルモン書について

「モルモン書」については、昔アメリカ大陸に移住した民の記録であり、金属版に刻まれていた物である。そしてこの書には4種類の金属版の事が述べられている。

ニーファイの版。小版と大版の2種類があり、小版には預言者達の勤めと教えが記されており、一方大版は、大部分が世俗の歴史で占められており、リーハイの民がアメリカ大陸に移住した後、民はニーファイとその兄レーマン人と分裂して民同士が争うようになり、またレーマンの民は、肌の色が黒くなる事が示され、レーマン人の民からニーファイの民に戻った者は、また肌の色が白くなった事等も記録されている。しかしモーサヤの時代以後は、大版にも霊的な重要な事柄が記録されている。

モルモンの版。モルモンがニーファイの大版から短くまとめた記事と、多くの解説文から成る。この版には、モルモンが書き継いだ歴史と、息子モロナイが付け加えた記録が載っている。

エテルの版。ヤレド人の歴史を伝えた物である。モロナイはこの記録を短くまとめて、これに自分の解説を織り込み、「エテル書」という表題を付け、全体の歴史に組み入れ編集した。

真鍮（しんちゅう）の版。紀元前600年にリーハイの民がエルサレムから携えて来た物で、この版には「モーセ五書…また、世の初めからユダの王ゼデキヤの統治の初めに至るユダヤ人の記録…また、預言者の預言」が載っている。イザヤやその他の預言者達の言葉がこの版から沢山「モルモン書」に引用されている。

西暦421年、或いはそれに近い年に、ニーファイ人の最後の記録者であるモロナイが神の声により霊告された通り、末日に明らかにされるように記録を封じ、神に託して隠した。

そして西暦1823年に預言者ジョセフ・スミスに、当時の記録者であるモロナイが訪れ、記録が隠されている場所を教える事によって、当時の記録の金属版が彼の手に渡り、この金属版から翻訳され、「末日聖徒イエス・キリスト教会」の教本として、西暦1830年「モルモン書」が出版されました。

また、この「末日聖徒イエス・キリスト教会」はアメリカを起点として、世界中の各地に教会が設立され、多くの会員達が学び続けているのです。

6.7 世界が一つの王国として統一された後、全人類の共通語は日本語になる

今現在の世界の人々は多くの王国、民主主義国家、共和国、共産圏国家等によって、分裂した国に所属しておりますが、それらの全ての国々の統治は全て廃止されて、生きている全ての人々が、「神の王国」として統一されて、一人の王、或いは「神」によって治められる事が預言されております。

また世界中の人々の言葉も、神によって、他の民族達とは会話が出来ないように言葉が通じないように混乱させられ続けている故、他の民族との会話が出来ず、通訳を介してのみ会話が可能な状況が、大昔から今現在まで続いておりますが、その世界中の生きている人々の共通の言語は「日本語」と定められているのです。

まず、その日本語を説明すると、日本人が文字を書き記すようになり始めた頃は、西暦600年頃の推古天皇が統治していた時期に、推古天皇の甥に当たる聖徳太子が、推古天皇（女帝）の摂政政治を行っていた頃、聖徳太子によって書き記された書物は幾つか残されているので、これ以前には日本語の文書で示された物は残っていないのです。

その当時は漢文によって記録されておりましたが、次第に日本語も発展し続けて、今現在は「当用漢字」として、「日常的に使用する漢字の範囲として1946年11月に内閣訓令及び告示によって公布され〈当用漢字表〉にある1850字の漢字で、1948年には〈当用漢

字別表〉が公布され、1850字の内881字は義務教育で学ぶべき漢字、字体表も各々公布され、人名漢字についても制限が加えられた。その後の改定を経て、今日では〈当用漢字表〉が〈漢字使用の目安とされている」と示されております。

日本語は、この漢字以外に、「ひらがな文字」の50音と「カタカナ文字」の50音があり、“ひらがな文字”だけを使用して書物を構成する事は可能でありますが、実際に書き記した言葉の意味を理解する為には、やはり「漢字」を使用して構成した文書の方が、示すべき事柄の意味がはっきり理解できると思います。

第7章

日本人の過去と未来

私自身は日本人であり、それ故に日本人の過去と未来を出来るだけ詳しく調べ報告したいと思っております。即ち日本人が、この日本に住み着くようになった時代は良く分かる書物が無く、只「貝塚」等を発掘することによってのみ生活の記録が分かっても、その年代を測定するには至らないのです。

縄文時代の住民。

この縄文時代に於ける日本列島の住民は、北は北海道から南は沖縄まで居住していた。縄文人の骨格は数千体発掘されているが、その大部分は縄文時代後半の中期、後期、晩期に営まれた貝塚から出土しており、ごく一部が前半の早期、前期の洞窟の遺跡から発見された物である。縄文時代の土器は1877年に発掘された大森貝塚の縄目模様を持った土器で、貝塚土器、アイノ土器、石器時代土器と呼ばれたこともあった。

日本の最古の書物と言われている「古事記」或いは「日本書紀」は、私が知る限りに於いて、聖徳太子と呼ばれる者によって自分が体験によって知り得た知識、つまり、未来を予知する体験を繰り返し経験し、その体験によって知り得た知識を樹木の皮等に記録した事柄を、聖徳太子が死亡した50年後に天武天皇が見て、その記録は多くの預言、即ち未来に起こる事柄である事を察し、その当時の学者である「稗田阿礼（ヒエダノアレ）」に、読ませて暗記させた事が示されております。

そして、その稗田阿礼（ヒエダノアレ）が、聖徳太子の預言の一部分の重要な事柄を隠す為と、またその重要な事柄を記録して残す為、天武天皇は稗（ヒエ）

田阿礼に命じて太子の記録を読ませ、稗田阿礼は分かり難く編集されたが完成せず、その30年後の元明天皇（女帝）の命を受けた太安万侶が稗田阿礼が語る言葉を筆記して「古事記」が、712年正月に献上されたと記録されております。

また、「日本書紀」については、720年に舎人親王が完成させた事や「古事記」と合わせた内容で編集した、歴代天皇の記録である事が示されておりますので、「古事記」の方が先に完成した事も記録されております。

この記録でも分かるように稗田阿礼は、文字を読むことが出来たが書き記す事は出来なかった故に、30年後の太安万侶に語ったものを太安万侶が筆記した事が記されているのです。

聖徳太子についての記録は、574年に生誕した記録が有るが、定かでは無く、彼が18歳頃の592年11月に蘇我馬子が崇峻天皇を暗殺した事により、その翌月には推古天皇（女帝）が即位し、翌年4月に聖徳太子を皇太子として万機を摂政させたが、この時期は蘇我氏権力の絶頂期であり、推古朝政治は基本的には蘇我氏の政治であって、女帝も聖徳太子も蘇我氏に対して極めて協調的であったと言って良い。

太子は十七条憲法を制定した事や、法華・維摩・勝鬘を著したと言われ、更に四天王・法隆・中宮・橘・広隆・法起・妙安の7寺を興した事が報告されており、この聖徳太子が現れる以前には、日本人には文字、即ち漢文を読む事や書く事が出来る者がいなかったと思われ、それ故に、聖徳太子が日本人として最初に漢文を読み、また書き記す事が出来た最初の人のように思えるのです。

7.1　私自身の脳の働き方の特徴

私自身は、私が36歳の時までは、普通の人と思っておりましたが、その頃に突如として不思議な体験、つまり、この時16歳の女子高生と二人で、不思議な体験をした事が切っ掛けで、その時以後は、自分の脳が尋常でない働き方をする事に気付き、その不思議な体験の女子高生の顔の幻が、ウインカーのように、私の頭の中で点滅を繰り返しているのです。

まず、自分の脳の尋常でない働き方を説明すると、自分が何かに疑問を抱くと、その直後には、疑問に思った事に対する回答、と思える内容の、「忘れている事を思い出す」とか「新しい事を思いつく」等が頻繁に起こり、忘れている事を思い出すのなら、さほど気にならないが、“新しい事を思いつく”事が頻繁に起こるからには、自分の脳は誰かに操られて動かされている、「操り人形」のように思うようになりました。

また私が記憶している事柄も、日を経るに従って普通の人が考える必要の全く無い内容の記憶が幾つもある事に気付くようになり、その記憶した内容は、

1、　理想の女性。条件、「顔は十人並みで良い、どんな状況下においても（例、何年も別れたままでも、男の中に女が一人、または、逆の場合でも）、互いに互いの事が信じられ愛し合える人。
2、　自分は、世の中の事を周りの人に気付かれないように変えられたらいいな（天候及び人命を左右する事を含む）。
3、　自分の周りには、強烈なパワーが出現する。黙っていると押し

潰されるくらい。

4、　俺を味方にしていればいいが、敵に回すと脅威だ。

5、　多少の犠牲は止むを得ない。

6、　ノストラダムスが預言した、1990年代後半に出現するとされている超能力者が自分だったらいいな。

7、　イエス・キリストが行ったような奇跡を起こせたらいいな。

と示した7項目の言葉であるが、この言葉を最初に考え始めた頃は、私が高校生の頃だと思うが、私が覚えているこの言葉は、1年に1度くらいか数年に1度くらい思い出す程度であったので、さほど気になる事は無かったが、私が36歳の頃に、16歳の女子高生と不思議な体験をした後には、日に5～6度くらい思い出す事が数ヵ月も続いているのです。

また、その女子高生も私に好意を示す行動をする事にも気付いた私は、もしかしたら、この女子高生は、「絶対にいるはずがない」と思っていた「理想の女性」に該当している事を、私に知らせようとしているように思っても、該当しているとは思えず、私の考え方の中で、検討してみたが、やはり該当しているとは思えませんでした。

でも、その訳の分からない言葉を思い出す事や、その女子高生の顔の幻を見る事は続いており、また、その訳の分からない言葉も、「理想の女性」以外にもあり、それらの言葉をもし私自身が行えるとしたなら、私は「超能力者」となると思えるので、その事についても、自分の考え方の中で人に知られないように確かめると、まず「天候」についても、私の考え方で変える事が可能であり、またそれ以外の事柄についても、可能である事が分かりました。しかし、それを証明する事は不可能であるのと、もし私が天候を左右させる事で、人々に悪影響を及ぼす事が無いように、「自分は、世の中の事を周りの人に気付かれないように変えられたらいいな（天候及び人命を左右する事を含む）」を中止しております。

その女子高生と、他の女性と比較してみた時、少なくとも100％とは言えないが、他の女性よりは、「理想の女性」に近いと思うようになった時以後は、その女子高生の顔の幻が出なくなったのです。

また、私が人の顔を「幻を見る」とか人が心の中で思っている事の「呟きを聞く」という事も、私の記憶では、私が高校生の頃から、社会人として就職した頃には時々体験しており、その当時の私は、「幻を見る」とか「呟きを聞く」等は誰にでも起こっている事のように思っておりましたが、他の人達と話をする時、そのような体験をしているかどうか探りを入れて会話をする事で、普通の人々が「幻を見る」とか「呟きを聞く」等は全く体験していない事を理解するようになりました。

しかし、その当時の私は、妻と二人の子供がおり、私自身の青春時代には「結婚しない方がいい」と思っていたので私が結婚適齢期の頃、女性から好意を示されても気付かない振りをする事が多かった。というのは、私が幼少の頃、つまり、私が記憶している小学生の頃から中学生になるまで父親から、「親に恥を掻かせる馬鹿息子」と、毎日のように酒を飲んで愚痴を言われ続けており、私は何故父親や母親からそのように言われる事をしたのか、その原因を探し続けましたが、見出す事は出来ませんでした。

また、父親や母親からそう言われ続けている故に、兄弟達からもそのように思われ続けた為に、私は両親や兄弟達と会話をする事が極端に少なく、人と話をする事が極端に苦手になったと思われます。

更に、私が高校生の頃になると、父親に「親に恥を掻かせる馬鹿息子、こんな者は家に置いておく事は出来ない」と、毎日のように酒を飲んで愚痴を言われ続けており、その頃には「こんな者は家に置いておく事は出来ない」と言う言葉が増えたので、私は、高校を中退してでも家を出て就職できれば、と思って、家を出る時は学生服を来て出るが、学校には行かずに就職口を探した事が何度かありましたが、私を雇ってくれる業者はおらず、家を出る事が出来ないまま、高校を卒業したのです。

その高校を卒業して就職するにも、両親や兄弟達から出来るだけ遠く離れた所を選び、両親や兄弟達には今後絶対に迷惑をかける事が出来ない状態に自分を置く事を選んで就職したのですが、高校生の頃も就職した当時も、女性からの「呟きを聞く」事が時々あり、その呟きの内容は「肉体を許してもいいよ」が最も多かった事を覚えており、しかし、私は「自分は結婚しない方がいい」と思い続けていた為に、女性が私に対して好意を示す行動をしても、私は、気付かない振りをする故に、そのような内容の呟きが多かったと思うのです。

しかし、私自身は「結婚しない方がいい」と思い続けていても、私に対して好意を示して近づく女性がいるのだから、その女性の気持ちを知りたいと思う気持ちは常にあり、女性の中には「聖書」を読んでいる女性が幾人かいたので、私は「聖書」を読むと結婚適齢期の女性の気持ちが分かるのでは、と思って「聖書」を書店で買い求めて読んでみると、読み始めた時、私は「聖書」とは無関係で無いと思うようになり、読み続ければ続ける程、その気持ちは強くなる一方でした。

7.2　イザナギとイザナミの物語

イザナギノミコトとイザナミノミコトの二人の神が現れて、二人が肉体的に結ばれる事によって、何かが生まれるが、初めの内は良い物が生まれず、悪い物が生まれた事と、また何が原因でそうなったか、その悪い事を改める事で、次からは良い神々が生まれ始めましたが、必ずしも良い神々が生まれたとは言えず、「トリノイワクスブネ」・「アメノトリフネ」の神々の名で示された、「トリノイワクスブネ」の「トリノ」とは「鳥の形をした物」。「イワクス」とは、「奇しき岩」と示され、「奇跡的な力や不思議な性質を持つ稀少物質や稀少金属」を示し、今現在の「ジェット機」や「宇宙船」を表していると思われ、また「ブネ」とは「船」を意味する語と思われます。

次にイザナミノミコトが生んだのは、「ヒノヤギハヤオ」という名で示し、これは、「太陽のようなかがり火型の道具」が“火の矢”のように「速く飛ぶ」という意味で「ミサイル」と訳せる事、次に「ヒノカガビコ」という名で示し、これは「太陽みたいにきらめくかがり火」という意味だから「核爆発」をした時の巨大な光を示していると思われ、次に「ヒノカグヅチ」と示され、これは「巨大な鎚」つまり核爆発によって地面に巨大な爪痕が残る武器類である事を、三つの神の名によって「核弾頭を装備した大陸間弾道弾」を示している事が報じられていると思われます。

またイザナミはこの子を生む事によって性器を焼かれて病に伏した事、しかし、性器では無い場所から次の「カナヤマビコ」・「カナヤマヒメ」・「ハニヤスヒコ」・「ハニヤスヒメ」・「ミツハノメ」・「ワクムスビ」・「トヨウケヒメ」・「オオヤビコ」・「オオトヒワケ」・「ミナト」・「アメノサズチ」・「クニノサズチ」・「アメノクラド」・「オオトマドイコ」・「オオトマドイメ」の神々の名が示された子を生んだ事と、イザナミはこれらを生んだ後に死亡した事が示されております。

「カナヤマビコ」・「カナヤマヒメ」とは、「貴金属や金ばかり山のように積む男や女」を示し、「ハニヤスヒコ」・「ハニヤスヒメ」とは、「安定しているように見えて、実は崩れそうな国或いは男や女」を意味し、「ミツハノメ」とは、「くだらない事を見て満足する目」を意味し、「ワクムスビ」とは、「形だけの平和協定」を意味し、「トヨウケヒメ」とは、豊かさだけを受けて満足する女を意味しているらしいのです。

更に、「オオヤビコ」・「オオトヒワケ」とは、大きな家或いは、何世帯も入居できるようなマンションや公営住宅等を意味しており、「ミナト」については、「港」を意味しているが、この予言の言葉が実際に起こる時期には、海が無くなり、世界中は全て平らな地面と成る故に、世界中の各々の地域ごとに人や物を運ぶ為に「船」の発着場所が設けられ、これは「港」或いは「ターミナル」を意味し、「アメノサズチ」・「クニノサズチ」とは、世界中の国々が高性能な武器類を保有している事を意味し、「アメノクラド」とは、世界中が常に不安定な状態になり続けている事を意味し、「オオトマドイコ」・「オオトマドイメ」とは、多くの人々は常に「戸惑い続ける男と女」を意味しているのです。

イザナミは死亡して黄泉の国に行ってしまったが、イザナギはイザナミが恋しくなって、黄泉の国迄行きましたが、黄泉の国は暗黒の世界故にイザナミの声は聞こえても姿を見る事が出来なかった為、自分の持ち物で明かりを灯して、イザナミの屍を見て、あまりの汚らわしさ故に、仰天して現世に逃げ帰り始め、現世に戻った時に、イザナギは自分の体の汚れを落とす為に「ミソギ」を行い、その時に三人の子が生まれ、「天照大神」と「ツキヨミノミコト（月夜見命）」と「スサノオノミコト」が生まれた事で、この物語は終わっております。

7.3 天の岩戸の物語

この物語の主人公と思える、「天照大神」は、女の神様として記されているが、この文書に秘められた意味は、「真実の知識」の内の目に見える、“真実の知識”であり、また「ツキヨミノミコト」は目で見る事が出来ない“真実の知識”を表しており、また「スサノオノミコト」は、実際の男の人であり、この男は、「洞察力」を持っている故に、目に見える真実の知識も、目に見えない真実の知識も理解して知っているが、世界中の生きている人々からは、この「真実の知識」は神によって隠され続けております。

この物語の中では、「スサノオ」は繰り返し悪事を行った事が示されておりますが、彼は悪事を働く事の出来る男では無いが、物語の中で「海を干上がらせる」とか「田んぼの畔を踏み壊す」については、今後、この預言は起こりますが、まだ起こっていない。更に「女達に意地悪をして困らせる事」については、既に起こっているが、彼は“女達を困らせる”のではなく、「女達が望んでいる彼と肉体的に結ばれ結婚する事」に応えられなかった事は事実です。

また、この“真実の知識”は、神に背く者達の脳の働き方の中では、無価値な事として脳は反応し、逆に無価値な事、即ち「つまらない事、どうでもいい事、何の役にも立たない事、かえって罪となる事」に価値があると脳が反応して、自分は人並み以上の優れた能力のある者、力の強い者と脳が反応し、自慢するようになるがその事には絶対に気付く事が無いように、脳の働き方を強力に制限され続けているのです。

しかし、スサノオは秘められた事柄の意味を理解している為に、その理解している事柄を人々に話した時、人々はスサノオを「馬鹿かおかしくなった者」のように扱われる為に、スサノオは何時も泣いてばかりいるのです。

つまり、神に背く者達は、大昔から今現在に至るまで、「天照大神」である、「**目で見る事が出来る真実の知識**」と「ツキヨミノミコト」である、「**目で見る事が出来ない真実の知識**」は神によって、神に背く者達から隠され続けている故に、世界中の人々は、「**つまらない事、どうでもいい事、何の役にも立たない事、かえって罪となる事**」に価値があると脳が反応して、多くの人々と多くの資金が注ぎ込まれ続け、また働かされ続けているのです。

即ち、その「つまらない事、どうでもいい事、何の役にも立たない事、かえって罪となる事」に価値があると脳が反応する事を改善する方法が、「天の岩戸」に「天照大神」が隠れる物語であり、その“天照大神”を「天の岩戸」から出す事が実現した時、生きている人々は生き続ける事が可能になる事の預言なのです。

その方法として、「アメノウズメ」というセクシーな女性が全裸でセクシーに踊る事によって、「天照大神」は「天の岩戸」から引き出されて二度と戻る事が出来ないようにされる事で、物語は解決しております。

しかし、この「アメノウズメ」について説明すると、これは聖書の義人である、アブラハム、イサク、ヤコブ達の末孫である者達の中から選ばれており、ヤコブには4人の妻がおり、その妻達によって12人の男の子が生まれ、一人の男の子の末孫から1万2000人の女が選ばれて、その合計が14万4000人の女達が選ばれ、この物語の「アメノウズメ」に該当しているのです。

また、この「天の岩戸」と言われる場所がもしあるとすれば、「生きている人々の脳の働き方の中」と言うべきであり、生きている人々の脳の働き方の中から、人として最も重要な事柄、即ち「真実の知識」が、神によって無価値な事として脳が反応しますが、しかし、「真実の事柄」を「**読む事も、書く事も、話す事も、聞く事も**」出来るが、その意味を悟る事が出来ないように、脳の働き方が制限される事と、それに気付く事も絶対に出来ないように、制限され続けているのです。

その為に、世界中の人々の間には、「**つまらない事、どうでもいい事、何の役にも立たない事、かえって罪となる事**」が溢れかえっており、この状態を改善する方法を、「**天の岩戸**」に示されているのです。

即ち、聖書に示された事柄と、預言者達が預言した事柄が一致する場合が多く、聖書に示された封印は7個の封印を解く事によって、「真実の知識」を世に出す事が示されている故に、7人の「アメノウズメ」に該当する女性達によって全裸でセクシーに踊り、只セクシーに踊るだけでは無く、実際に、神によって選ばれた「神の息子」と肉体的に結ばれる事によって封印が解かれるのと、この「神の息子」も「神」として人々の前に現れるのです。

そして、「アメノウズメ」の活躍によって、「天照大神」が人々の前に出る事によって、暗黒の世が去って、光り輝く世に変わり、又、「スサノオ」は高天原を追放されその物語は終わっておりますが、実際には、その後「スサノオ」が「**ヤマタノオロチを退治**」する物語に入るのです。

7.4　スサノオがヤマタノオロチを退治

高天原を追放されたスサノオは、出雲の国に降りて、ヤマタノオロチの生贄にされようとして、泣いているクシナダヒメとその両親に出会い、泣いている訳を聞くと、巨大な大蛇で8つの頭と8つの尾を持ち、その巨体は8つの谷や山を覆い尽くす怪物が近々きて、クシナダヒメはそのヤマタノオロチに食べられてしまう時期が目前に迫っている事を聞き、スサノオはヤマタノオロチを退治する事を誓い、またクシナダヒメを妻に貰いたいと言うと、クシナダヒメも両親も納得し、両親達はスサノオが命じる強い酒を造って8個の樽に入れて、ヤマタノオロチが来た時、それを飲ます準備を整えさせ、ヤマタノオロチが来ると、8つの頭はそれぞれの酒樽の強い酒を飲み、酔いつぶれて寝てしまった時、スサノオは十束剣(とつかのつるぎ)でヤマタノオロチを切り裂き、殺してしまった事と、同じように尾を切り裂いている時に、十束剣(とつかのつるぎ)の刃が欠けた為に調べると「草薙剣(くさなぎのつるぎ)」が出て来た事が示されております。

つまり、この物語は、ヤマタノオロチは退治された事になっておりますが、まだ退治されておらず、近い内に退治される時期が来ると思われ、また、実際に「ヤマタノオロチ」が退治された時に、退治されたヤマタノオロチは日本の「鳥取砂丘」に展示されるらしい事も私は知っております。

7.5　大国主命の国造り

大国主命はスサノオの6代目の子孫である事と、彼は兄弟達からいじめや嫌がらせを受け続けており、またこの物語の大国主命は、「**因幡の白兎**」が、ワニ達によって皮を剥がれて赤裸になっている所を助けた事が示されており、この物語も預言の事柄として最も重要な事柄で、この物語の前の「天の岩戸」から「天照大神」が引き出される預言が実際に起こった後、生きている人々は自分が所有している全ての物を、神に捧げ尽くして「無」になり、更に「**言いたい事があっても言うのを我慢し、欲しい物があってもそれを我慢し、自分の考え方を守る警察官のようになる事**」が、神の律法によって強制される定めになっているのです。

つまり、神がモーセを通して授けた律法は、極めて分かり難い表示であり、誤りや間違いが多い事、またその極めて分かり難い表示を、極めて分かり易く明瞭に書き記して預言を啓示する義務が負わされており、その義務を果たした最初の者はキリストになれる事と、律法はキリスト一人の為になるように構成されており、律法が完成するに先立って、律法の変更が生じる、と定められているのです。

その未完成の神の律法を完成させた最初の者は、この預言書の内容に該当する者は「**アメニギシ・クニニギシ・アマツヒコヒコ・ホノニニギノミコト**」と示す非常に長い名であり、通称「天忍穂耳尊（アメノオシホミミノミコト）」と呼ばれる者によって、神の律法は完成させられておりますが、この完成した、神の律法には書き記す事が禁止された事が有る故に、文書に記せない事柄が幾つかあり、書き記す事が禁止された事柄は、規則に従って啓示する定めになっており、まだ出版されて、一般には出回っていないのです。

その神の律法が変更になった事柄は二つあり、『1900年以後に生まれた全ての者は、「天忍穂耳尊（アメノオシホミミノミコト）」が父親のように遺伝子が神によって組み替えられて生まれ、その内の全ての女性は「天忍穂耳尊（アメノオシホミミノミコト）」と婚約した扱いになっている事』。これが神の十戒と呼ばれる部分に挿入される事によって、全ての罪が明白になり、また罪を犯す事で損害が生じた場合、その損害の賠償方法も定められているのです。

即ち、「天照大神」が「天の岩戸」から出される、という事は、未完成だった神の律法が完成しないことには、人々に救いが及ぶ事は絶対に無く、まず未完成な律法が完成し、その完成した神の律法に従って、聖書に示された「神のご意思」を行う事、即ち「**崩れた城壁を建て直す工事**」と「**倒れた墓を建て直す工事**」と、この「古事記」に示された事柄とが一致して動き始める事によって、人々に救いが及ぶ事になり始めるのです。

その選ばれていない人々が居続ける事が可能になるには、自分が所有している全ての物を、神に捧げ尽くす事と、「**言いたい事があっても言うのを我慢し、欲しい物があってもそれを我慢し、自分の考え方を守る警察官のようになる事**」が完成した神の律法に定められており、その定めを守る者は生き続ける事が可能になるのですが、そうなる為には、自分が所有する全ての物を捧げ尽くして「無」或いは「**赤裸**」になる事で可能になるのです。

大国主命は、この「**因幡の白兎**」を助けた事によって、八上比売（ヤガミヒメ）から結婚相手として選ばれるが、八十神（ヤトガミ）達の嫉妬を買って恨まれ、命を狙われるようになって逃げるが追手が迫り、スサノオが治める「根の堅洲国（かたすくに）」に行くように勧められる、根の堅洲国に着いた時、最初に須勢理毘売（スセリビメ）に会い、大国主命はそのスセリビメと会った時、「**目と目で結婚の約束をした**」事が示されており、その預言は実際に有った人物が、実在しております。

しかし、スサノオは大国主命に対して、次々と試練を課し続けるが、その度にスセリビメに助けられて試練を乗り越えた故に、スサノオから地上を治める王となる権利を手に入れ「大国主神」と名が与えられた事が報じられております。

次に大国主神は、地上に戻って国を治め始めるが、この時に海から茶碗の舟に乗って大国主神の所に小さな人の「少彦名命（スクナヒコナノミコト）」が来て、大国主神の国造りの手伝いをするが、この者は創造主である「神」であり、この者は大国主神との国造りの途中で「常世の国」へ去って行き、大国主神は彼が去った後は一人で国造りを行う事になる構成ですが、私が知っている知識では、人々が生き続ける事が可能になるのは、神が死亡するか、或いは神が地球や太陽系から遠く離れた場所に移動する事によって、人々に何の影響力も及ぼす事が出来なくなった時、或いは神自身が著しく変化する事によって、人々は生き続けて永遠の命を得る事が可能になるのです。

また、この物語の中で「日本武尊（ヤマトタケルノミコト）」の物語が構成されており、この物語の中で、ヤマトタケルノミコトは「草薙剣（くさなぎのつるぎ）」を持って悪者征伐を行い続けて、良い成果を上げ続けますが、彼が死ぬ時には、この草薙剣を持たずに出かけて疲れ果てて死亡する構成になっておりますが、このヤマトタケルノミコトの話は、創造主である神を示す物語であり、聖書は、尊厳死を望む神の遺言書である事も報じる書物であり、多くの預言者達の知らせた事柄の中にも、神が死ぬ事を報じた預言が幾つか含まれております。

7.6　天忍穂耳尊（アメノオシホミミノミコト）と大国主神の入れ替わり

この物語は大国主神が一人で国造りを行っている時に、天からの命令で、「天忍穂耳尊（アメノオシホミミノミコト）」が地上の国を治めるべきだと、命じられて大国主神は、その命令に従い、「天忍穂耳尊（アメノオシホミミノミコト）」が地上に降りて来た事と、それには「アメノウズメ」も一緒に付いて下って来た事や、「天忍穂耳尊（アメノオシホミミノミコト）」は「草薙剣」を持ってきた事が報じられております。

この者は聖書に示された「救い主」であり、神の救いの計画の中で、まず、人間の生贄が捧げられ、その生贄の魂が、彼の体の中に居座っている事によって、彼は「**神の息子**」として養子縁組をされ、また神はこの者が神になる為のあらゆる知識を授け続け、あらゆる知識を授け終わった頃には、この者によって、未完成だった神の律法が完成させられており、「**神の息子**」が完成した律法に従って行動する内容が、「古事記」の前半に秘められているのです。

しかし、その後半の文書は、「**天忍穂耳尊**」の末孫に当たる者が、「**神武天皇**」である事が示されておりますが、この「天忍穂耳尊」の誕生日は、西暦1981年12月7日である事が預言されており、また西暦2022年6月の初めでは、まだ人々の前に現れていないので、この者が、今現在の日本の天皇家の家系は偽りであり、この書物の2番目の物語である、「**天照大神**」は「**目に見える真実の事柄**」で、「**月夜見尊**」は「**目で見る事が出来ない真実の事柄**」である事を知らせ、この秘められた「**真実の事柄**」が世に出ない事には、人々が生き続ける事は可能にならないのです。

7.7　木花咲夜姫と岩長姫について

この物語の中で、「**天忍穂耳尊**」が、地上に降りた後に、二人の姉妹の姉の岩長姫と妹の木花咲夜姫とに出会います。アメノオシホミミノミコトは、姉の岩長姫とは結婚しなかったが、妹の木花咲夜姫とは結婚した事が示されております。

しかし「**天忍穂耳尊**」と「木花咲夜姫」が結婚する事によって、結婚した全ての「木花咲夜姫」は、一人では無く、「アメノウズメノミコト」と同じであり、14万4000人の女性達が神によって「神の息子の妻」として選ばれている故に、“神の息子の妻”となった者は皆、妊娠する事と、生き続ける事が可能になるので、「岩長姫」に変化するのです。

この「**天忍穂耳尊**（アメノオシホミミノミコト）」が地上に降りて人々の前に姿を現しても、人々は彼が神である事を認識する事は有り得ないが、アメノオシホミミノミコトが地上に現れるには、まず、神がモーセを通して授けた律法は未完成であり、その未完成な神の律法を完成させた最初の者はキリストになれる事と、律法はキリスト一人の為になるように構成されている為、キリストが現れるのに先立って、律法の変更が生じると定められております。その変更になった部分は、「**1900年以後に生まれた全ての者は、アメノオシホミミノミコトが父親のように遺伝子が組み替えられて生まれ、その内の全ての女性はアメノオシホミミノミコトと婚約した扱いになっている事**」が、神の掟の十戒と呼ばれる部分に挿入される事で、全ての罪が明白になる、と定められているのです。

つまり、この物語の大国主命は、「**因幡の白兎**」が、ワニ達によって皮を剥がれて赤裸になっている所を助けた事が示されておりますが、この物語が実際に起こる時期が、アメノオシホミミノミコトが実際に人々の前に現れた後でなければ、絶対に起こり得ず、彼が人々の前に姿を現した時には、神の律法は完成しておりますが、効力を発揮する事が出来ない状態であり、その完成した神の律法に従って、神のご意思、即ち「**崩れた城壁の建て直しの工事**」と「**倒れた墓の建て直しの工事**」が開始され、その行為が神によって認められた時、効力を発揮するようになります。

その完成した神の律法が効力を発揮するようになると、掟を守らない者の考え方は、神によって脳の働き方を、惑わされている為に、正しい判断が出来ないから人として重要な事柄を、「**無価値な事と脳が反応し**」、逆に、「**自分に都合のいい図々しい厚かましい利

己的な考え方で、自分は人並み以上に優れた能力のある者、力の強い者であると、自慢するようになり、その事には気付かずに、自分の周りの者達は、「**無能でだらしない者**」、のように見えてしまう事、それが、「**ブヨとラクダ**」の関係で聖書に示され、周りの者達の悪い所は、“**ブヨ**”のように小さな事でも、良く見えるのに対して、自分の悪い事は、「**自分に都合のいい図々しい厚かましい利己的な考え方で、自分は人並み以上に優れた能力のある者**」の考え方が“**ラクダ**”のように大きくても少しも見えていない事と示され、実際にそうなり続けているのです。

それ故に、人々が「死」とか「怪我」を心配する必要の全く無い状態になるには、まずこの物語が示す「天照大神」や「ツキヨミノミコト」が、人々の前に現れる事、まず「**アメノオシホミミノミコトと木花咲夜姫の結婚**」が実現する事によって封印が解かれると、次に、「**ヤマタノオロチが退治**」と「**因幡の白兎が赤裸**」が実現し、次に18ヵ月後に定められた末期の時が来て、「**海を干上がらせる**」とか「**田んぼの畔を踏み壊す**」については実現します。

そして、「**少彦名（スクナヒコナ）命が常世の国**」に去る事と、「**日本武尊（ヤマトタケルノミコト）が死ぬ**」と示した「**少彦名**」も「**日本武尊**」等は、創造者である神を表しており、神が死ぬ事によって、「**神の息子**」である「**アメノオシホミミノミコト**」が人々の前に「神」として現れ、この「**神の息子**」である「**アメノオシホミミノミコト**」となる者は、生きた人間の男であるので、この者は、創造者である神のように、人々に姿を隠す事は不可能であり、この者が人々の前に現れると、人々が条件を足すと生き続ける可能性が出てきます。

第8章

人々の未来はどのようになるか

まず、人々の前に「天忍穂耳尊（アメノオシホミミノミコト）」なる人物が実際に現れた事が人々に知られるようになった時、この者は前に説明したように、神の救いの計画に従って、「**神の息子**」として養子縁組をされた者であるので、この者が人々の前に現れるには、「**天照大神**」と「**月夜見尊**」とが、世に出ている事、即ち「アメノウズメ」と呼ばれる神によって選ばれた女性が、セクシーに全裸で踊る事によってだが、只セクシーに踊っただけでは、封印が解ける事は無いのです。

つまり、聖書によると、7つの封印が付されている故に、その封印を解くには、未完成な神の律法を完成させた最初の者は、「**神の息子**」でもあり、この「天忍穂耳尊（アメノオシホミミノミコト）」と同一人物であり、これに対して一人の女がセクシーに踊り、また、実際に肉体的に結ばれる事で、一つの封印が解かれますので、7人の“アメノウズメ”が“**神の息子**”と肉体的に結ばれる事によって、「真実の事柄」が世に出、完成した神の律法も世に出るのです。

この“**神の息子**”が「神（かみ）」として世に出た事が知られた後、まず最初に、地球専用の2個の太陽を出現させて、この2個の太陽は、地球を一直線上で繋ぎ、2週間で1周する円軌道で、しかも1周する度に80°ずつずれ8周目の周回後、元の軌道に戻る変則軌道を周回する事で、地球上から夜が無くなります。

また、この地球専用の2個の太陽が、太陽としての役目を果たし始めると、今現在の太陽は活動を停止して、白色矮星になり、また地球の今現在の自転速度が著しく遅くなり、この地球の自転速度が著しく遅くなる事によって、地震が起こる事や火山が噴火する事は無くなり、プレートの移動や造山運動等も停止する事になると思われます。

この変化が起こった後の18ヵ月後には、地球の再創造が予定されており、スサノオが「海を干上がらせる」とか「田んぼの畔を踏み壊す」等の預言が該当しており、この地球の再創造の時には、今までには経験が全く無いような大きな地震が起こって、海や湖や沼や川の水は全て地下に入り、また高い山や丘や谷も無くなり、全て平らな地面になる事が預言されております。

しかし、地球の過去の状態を鉱物類の資源を調べる為と、人々の働く場所を作る為に必要な地層があると思う高い山等は、部分的に平地より高い部分が残されます。

また、地球の再創造が起こった後には、今現在の交通機関は全て中止になり、その代わりに今現在の「バス」や「船」がその指定された空域を飛行して移動する事になり、今現在の道路は完全になくなり、“船”を使用した、海や湖等が全て無くなるので、使用できないが、この船は部分的に改造する事で、「空を飛び」目的地に向かって移動する事が可能になり、また今現在の貨物自動車等も空を飛行する事は可能であるが、積載できる貨物量が少ないのと、地上を走る必要が全く無いので、タイヤとか大きな出力のエンジンも必要はなく、移動中に必要な発電機程度の動力で十分だと思われます。

また人々が移動の為に自動車である乗用車についても空を移動する事は可能であるが、一人の人が1台の乗用車で移動すると、その台数が多すぎる為に、まず人々が仕事をするにしても、仕事場所と近い場所に、居住地が替えられ、また今現在のように働き続ける、という事も改善されて、仕事以外のスポーツや娯楽等によって体力の維持活動が出来るように改善されると思います。

8.1　飛行空域について

未来に於いて船やバス等が飛行する区域は、地球の再創造が終了した時、地球の一部分を除き、全て平らな地面に成り、また区域割も出来上がっていると思われ、区域割は地球の北極と南極を起点として360°の経度と、赤道から極までを互いに90°に分割し、更に360°経度を6分割し、60°ずつに6分割した内の1区画の面積が1万km^2～2万km^{2}以内の面積になるように分割してあり、その分割した線上の左側の上空を2km～10kmの間を、進行方向の高度に従って飛行する事になり、また飛行を停止して地上に降りる場所は、区域割の交点付近と定めてあります。

飛行ルートの区域割は緯度や経度に従って、区域割してあり北方向には地上の区域割の直ぐ左側から2km以内を北に向かって上るように飛行して、4000m程度の高度で、指定された区域割線の左側2km～15kmの範囲内を、北の方向の空域に入ると北方向に飛行し続け、区画割線の左側5km～15kmの領域を飛行すると、交点を通過する事が出来、また区域割線の左側に寄り5km以内に入り、区域割線の直ぐ左側から2km以内に入ると降下する事が出来ますが、その領域に入ると飛行速度が遅くなり、有視界飛行する事に成ります。

また飛行空域の高度以下に降下するまでは飛行方向を変える事は出来ず、飛行空域の高度2000m以下に降下すると、飛行方向を自由に変える事が可能になります。

南方向には地上の区域割の直ぐ左側から2km以内を南に向かっ

て上るように飛行して、3000m程度の高度で、指定された区域割線の左側2km～15kmの範囲内を、南の方向の空域に入ると南方向に飛行し続け、区画割線の左側5km～15kmの領域を飛行すると、交点を通過する事が出来、また区域割線の左側に寄り5km以内に入り、更に区域割線の直ぐ左側から2km以内に入ると降下する事が出来ますが、その領域に入ると飛行速度が遅くなり、有視界飛行する事になります。

また飛行空域の高度以下に降下するまでは飛行方向を変える事は出来ず、飛行空域の高度2000m以下に降下すると、飛行方向を自由に変える事が可能になりますが、但し、区域割線の交点付近の5km以内では、飛行する時の飛行領域の上昇や降下する事は認められておりません。

西方向には地上の区域割の直ぐ左側から2km以内を西に向かって上るように飛行して、3500m程度の高度で、指定された区域割線の左側2km～15kmの範囲内を、西方向の空域に入ると北方向に飛行し続け、区画割線の左側5km～15kmの領域を飛行すると、交点を通過する事が出来、また区域割線の左側に寄り5km以内に入り、更に区域割線の直ぐ左側から2km以内に入ると降下する事が出来ますが、その領域に入ると飛行速度が遅くなり、有視界飛行する事になります。

また飛行空域の高度以下に降下するまでは飛行方向を変える事は出来ず、飛行空域の高度2000m以下に降下すると、飛行方向を自由に変える事が可能になりますが、この飛行空域に入る為や出る為に、この領域に入ると同じ方向に飛行する他の飛行物に注意が必要です。

東方向には地上の区域割の直ぐ左側から2km以内を東に向かって上るように飛行して、2500m程度の高度で、指定された区域割線の左側2km～15kmの範囲内を、東方向の空域に入ると東方向に飛行し続け、区画割線の左側5km～15kmの領域を飛行すると、交点を通過する事が出来、また区域割線の左側に寄り5km以内に入り、区域割線の直ぐ左側から2km以内に入ると降下する事が出来ますが、その領域に入ると飛行速度が遅くなり、有視界飛行する事になります。

また飛行空域の高度以下に降下するまでは飛行方向を変える事は出来ず、飛行空域の高度2000m以下に降下すると、飛行方向を自由に変える事が可能になります。

また、両極付近の98°～90°の範囲は、飛行ルートを定めていないので、この地域を飛行する時は、高度2000m以下の空域は、どの地域であっても有視界飛行で、どの方向にも飛行可能ですが、飛行空域の飛行速度は300km/hを予定しておりますが、飛行高度が2000m以下の空域を飛行する場合に有視界飛行で60～80km/h程度の飛行速度を予定しております。

と言うのは、今現在の南極大陸やヒマラヤ山脈等は部分的に高さを残して、氷河上の残物の調査や地層の調査をする予定であり、高度2000m以下で飛行する時に、高い山の一部分が1000m程度残る為に、この空域を飛行するには、常に周りの障害物を警戒しながら飛行する定めになっております。

また区域割線の両極付近の90°～89°までの区間は1緯度で区切り、60°経度で60区画が入り、この区域割は6分割されており、1万9500km^{2}程度の面積に定め、この空域には飛行ルートが定められていないので、高度2000m以下の高度で有視界飛行によって、どの方向に飛行する事も着地する事も可能で60～80km/h程度の速度で飛行するように定められております。

次に88°～85°までは4緯度と4経度で16区画が入り、1万4000km^{2}程度の面積に分割してあり、次に84°～82°までを3緯度と4経度の12区画が入り1万9400km^{2}程度の面積に定め、次に81°～80°迄を2緯度と4経度の8区画が入り1万7200km^{2}程度の面積に定めてあり、次に79°～77°迄を2緯度と3経度の6区画が入り1万6100km^{2}程度の面積に定めてあります。

76°～67°迄を2緯度から2経度の4区画が入り、どの区画の面積は2万km^{2}以下～1万km^{2}以上の面積になるように定め、次に66°～37°迄は2緯度と1経度の2区画が入り、どの区画の面積も2万km^{2}以下～1万km^{2}以上の面積になるように定め、次に36°～赤道までは1緯度と1経度の1区画に定め、総区画割数は1万9716区画になり、この1区画に本部、それ以外の区画は全て支部が配置されますが、地球の再創造が始まった当初は、本部が1区画と支部は2000～3000程度の区画が使用されても、多くの区画は人々が住む事の無い区画が残っており、また南極大陸や多くの山脈類は地平線より1000m程度の高度で残して、氷河の氷が解けるに従って、その上に残される堆積物の調査や、また氷河が無くなった山脈類についても、順次地層の調査や鉱物資源の調査等を計画しております。

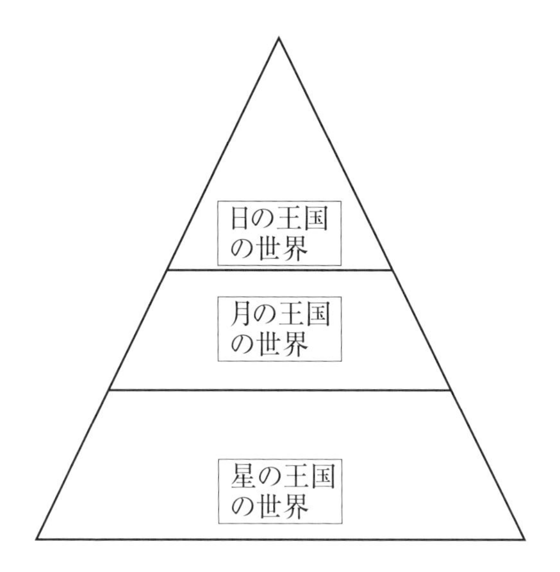

8.2　未来の人々の住居地や地位について

上の図は、この地球が再創造される事が預言されており、その地球の再創造が終わった時、地球上の高い山や丘等は低くされ、また、海や湖や沼や川等は全て無くなり、平らな地面になる事が預言されておりますが、特に過去の記録が残された地層に関して、部分的に地上から1000m程度の高さに残して、観察と調査をする予定であります。

また、再創造されて平らになった地面に関しては、その地面の区割りとして地球の緯度や経度に従って区域を分け、その分割区域は1万9716区画の緯度・経度に分割する予定です。

「日の王国の世界」と呼ばれる地域は世界に一つ神の王国として統

一され、またその“日の王国の世界”には、先の文書で示した、「アメノオシホミミノミコト」が王国の王と成り、また生きている全ての人々の「**神**」となる人物であり、またその妻として「**アメノウズメノミコト**」に該当する女性が選ばれており、それはアブラハム、イサク、ヤコブの末孫に当たる者達の中から一人の男と14万4000人の女性達が選ばれているのです。

また完成した神の掟が、効力を発揮するようになると、人々は自分が所有する全ての物を神に捧げ尽くす事が定められており、人々から捧げられた全ての物の所有権は、このアメノオシホミミノミコトにありますが、所有権があっても一人で保持する事は出来ず、世界中の人々がその所有物の土地や構築物等の管理をする管理人としての任務が与えられ、その管理状態は、その地域ごとに、その地域の住民達によって、その王の指示に従って管理する事で、労務費が支払われます。

即ち、神の救いの計画には、定められた時があり、その定められた時には、地球の再創造が預言されており、その再創造によって、地球上の地面は1万～2万km^2前後の地域に分割されますが、初めの内は、分割された地域の内に人々が実際に住み着いている地域は少ないが、その分割された地域毎に、その地域の住民達を管理する為に「月の王国の世界」と呼ばれる地位の住民達が選ばれており、又この“月の王国の世界”によって管理される区域は、地球上で最終的に1万9716の支部としての地域に分ける予定となっております。

8.3　月の王国の世界について

そして、一つの“月の王国の世界”が管理する区域の中には、王国の王の指示に基づいて、自分達が所属する、「月の王国の世界」とその管理域内の「星の王国の世界」と呼ばれる土地等の管理や農作物の生産や販売をする者達の管理人としての任務が与えられ、「星の王国の世界」は10前後の区域に分けられております。

又“月の王国の世界”が管理する地域の中の、“星の王国の世界”から納められる上納金や上納物に関しても、星の王国の世界から納められた総額の中から1/10を「日の王国の世界」に納め、残りの9/10については、この「月の王国の世界」に入植する者達の労務費や、運動施設や構築物等の改築や構築物の間接費用として用い、“月の王国の世界”に居住する者達の共同で管理する管理システムが定められているのです。

その“星の王国の世界”の土地から得られる農作物等を販売して得る収入の全ての内9/10はその地域の住民達の共同管理システムに従って管理し、1/10については、その地域を管理する「月の王国の世界」に納める事が定められており、その一つの「星の王国の世界」の住民達によって管理され、その総収入の内の1/10を「月の王国の世界」に納め、残りの9/10はその地域の住民達に労務費や運動施設の構築や改築費用等の為に、その一つの星の王国の世界の住民達によって、共同管理システムが命じられており、あらゆる資産や土地や構築物、或いは農機具類等も、個人所有は認められず、共同管理システムが定められているのです。

8.4　星の王国の世界

この「星の王国の世界」に入居する人々は最も多い人々が入居する事になるが、今現在の計画では、一つの“星の王国の世界”に入居する人の数は定められておりませんが、一つの“月の王国の世界”の面積は2万km^2以下から1万km^2以上の面積に成るように区域分けする計画で、1万9716区域に分割して、その一つの「月の王国の世界」の区域内に10前後の「星の王国の世界」に区域割する予定です。

しかし、その地球の再創造の時に、区域割した中に高い山等がある山脈類は、部分的に高度1000m程度の高さで残して、その残した部分の地質調査を行う予定とし、その調査によって鉱物資源などが発見された物は、分離して利用する予定であり、と言うのは、今現在の人々の生活の中には、「**つまらない事、どうでもいい事、何の役にも立たない事、かえって罪となる事**」の為に巨額の資金が注ぎ込まれ、また多くの人々が投入されている故に、その人々の働く場を作り、その者達の生活を維持し続ける為と、鉱物資源を確保する為でもあるのです。

今現在の宗教活動等、即ちキリスト教・仏教・神社・仏像・地蔵・墓石等やそれらの宗教活動に用いられている構築物等は全て廃棄され、聖書の黙示録に、「貴方は惨めで、哀れで、貧しく、盲目で、裸である事を知らない」、という聖句がありますが、今現在、多くの資産を有して、その多くの資産を注ぎ込んでも、生き続ける事は不可能であったのです。

神の律法が完成して効力を発揮するようになると、神の律法に従って全ての物を神に捧げ尽くす事と、損害が生じた時、その損害の賠償を確実にする事を明記し、誓約する事で生き続ける事が可能になるのです。

8.5　女は一人の人として認められていない

旧約聖書の中で女は、父親の所有物か夫の所有物であるという記述が見られますが、何故そのような考え方が生まれたのかを、次のページの人の脳の図で説明すると、人の脳も動物類の脳も、働き続けるにはこの「脳の中枢部分」と示した部分が働くことが必要になります。

そして、人間の脳は、他の動物類よりも多く「考える」という能力が与えられておりますが、一方で子孫を残すという動物本来の「本能」の働きも維持しています。

人間の男女を比較してすると、肉体の構造が違う部分も多く、女の肉体は子孫を残す為の妊娠や出産、或いは子育て等に適した肉体の構造と働きをしており、それを維持する為の働きが、男に比べ発達していると思われます。

その特性に由来する役割の違いが、「女は男から生まれた」とする当時に於いては、女は家父長である男の一段下にあるものとの考えに繋がったのではないか、そして、女は父親か夫の所有物とされた理由ではないかと考えております。

つまり、男の子であっても成人するまでは父親の所有物であり、男の子が成人した後に罪を犯した場合に損害が生じると、その本人の賠償責任になり、女の子は結婚する前は、父親の所有物と成りますが、結婚する事によって女は夫の所有物になり、女が罪を犯した時に、損害が生じた場合、その損害の賠償は、その所有者である父親か夫に賠償責任が及ぶと定められているのです。

つまり、黄金律という聖句が、律法の十戒と呼ばれているものの中で、「**父や母を敬いなさい**」とその敬う比率を、示されており、この黄金律は、造園工事の手法である、黄金比と同じもので、これは、夫と妻、或いは子供の価値観を、数字で表したもので、男である夫が1であるのなら、女である妻は3/5または0.618になり、子供は2/5又は0.328である事を示し、子供が親を敬う場合、この比率が最もバランスの取れた、傍目(はため)にも、健全に見える事を示した聖句なのです。

親子の関わりを示したものとしては、"**父や母を敬いなさい**"という聖句もありますが、その聖句は、モーセが神から与えられた十戒の一つで子供から見て、"**父や母を敬う**"ことを戒律として示した言葉です。今現在においては、子供が親を敬うどころか、その親に対して、粗大ゴミのような扱いをするような事も見られます。

どのように優れた子供であっても、両親が産み育ててくれなければ、自分はこの世に存在していない、その物事の道理を弁えなさい、と戒めているので、女の頭は男であり、男の頭はキリストであり、キリストの頭は神である。この言葉は、イエス・キリストが話した言葉ですが、これについても、夫と妻の関係や、男と女の価値観を示したもので、聖書は、女は男に服従しなさい、しかし、男も女に対して、権威を揮うのではなく、誉を配しなさい、と定められております。

男は、妻に対しても、子供に対しても、責任を負わなければなら

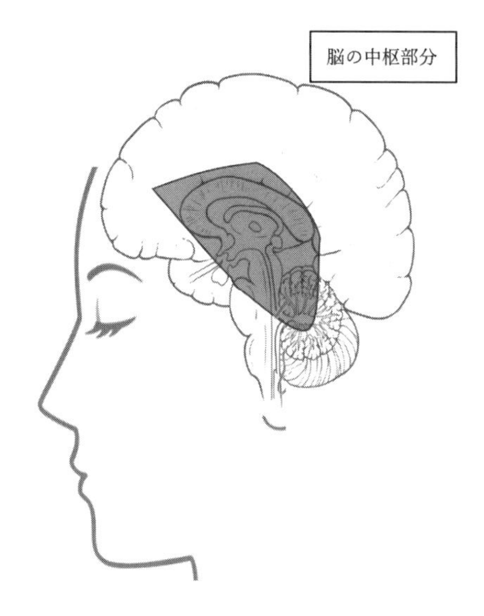

ず、それ故に、妻や子供の不遜な扱いを戒めて、正しい道を歩むように指導する責任もあるのです。しかし、弱い者に、憐れみと恵を示すのが基本であり、威厳を示すとか、権威を振り回す事では無く、立場の低い妻に対しても、子供に対しても、それぞれの人権を尊重する接し方をしなさいということなのです。

8.6　結婚について

私の考える正しい結婚について、セックス、子育てに対しての考察を取り入れながら、述べてみたいと思います。

まず、“正しいセックスの仕方”について述べると、人間の男と女或いは、動物類の雄と雌が互いの肉体を交わり合わせる行為であり、またこの行為は本能の働きによって起こる現象なので、人間以外の動物類は本能のみで生活している故に、自分達が生きる為の行動と、「正しい交尾」を行う事で、子孫を誕生させ、その子孫の養育の為の行動を一生涯続けている、だから、「セックス」をする時期を決めるのは女であり、男には全く認められておらず、女から求められた時、応じる事のみ認められているのです。

神の掟に於いて「正しいセックス」をするべき時期が決められているが、聖書には示されておらず、また完成した神の掟には「書き記す事」が禁止された事柄が有り、この“書き記す事が禁止”された事柄は規則に従って掲示する義務があるのです。

それ故、人間の多くの成熟した男女は、肉体の快楽の為にコンドームを使用したセックスを好んで行い続け、その事によって神の激しい怒りを起こさせ続けている故に、人々が生き続ける事を不可能にしている、即ち互いに健康な男女が「正しいセックスの仕方」による行為では、男女の健康状態が更に良くなり、また、確実に妊娠するはずなのです。

まず、正しい結婚について。

成人男子が、女と関係を持った時以後は、その女に対して、「食、衣、性交」の3つの権利を守り続ける義務が有り、又、その関係によって子供が生まれたと仮定し、男の子が生まれた時、その子が生まれた直後から、その子に対して「正しい躾」を施し、更に男の子には男が将来守るべき事柄の知識の全てを、その子が11歳になるまでに教え込むのです。

何故、11歳になる前に正しい教育を受けさせるかは、誕生した直後の幼児の脳の働き方は、脳の記憶させる領域の脳細胞は、神経経路の配線と繋がっていない細胞が圧倒的に多く、誕生後に何かの経験、即ち、泣く事、排尿や排便をする事、手や足を動かす事等を行って経験した事柄が記憶され続けるのですが、幼少の頃の脳の働き方は、大人の脳の働き方のような統制がされておらず、記憶される脳細胞の多くは、神経経路と繋がっている為に、何かの情報に瞬時に対応する事が出来ない傾向が強く、11歳の頃になると、大人の脳の働き方と同じに統制されるので、11歳になる前に「善悪を識別する事柄」の躾をしっかり教える必要があります。

その“善悪の識別”を正しく判断する能力を与えられた者は、大人になっても決して悪に走る事はないが、その正しい躾や教育が与えられていない者は、悪に走るが、悪に傾いている事に気付く事も出来ないのです。

その男の子が幼少の時期を過ぎ、更に思春期に至る頃には、働く事の実習をさせる事や、それ以外の知識などを教える義務が父親にあり、更に成人男子に近づく頃には働くべき場所を与える事と妻を与える義務もあり、もし自分に娘がいない場合には、自分の兄弟から、金銭によって買い取ってでも妻を与える義務があり、またその男子も妻として与えられた女に対して肉体関係に至った時以後は、「食、衣、性交」の3つの権利を守り続ける義務があり、離婚は許されておりません。

次に、女の子が生まれた場合、女の子が誕生すると、誕生した直後から女は父親に対して、「食、衣、性交」の3つの権利を持っており、父親は自分がその権利に答えるか、或いは自分の一人の息子の嫁として与えて、息子に対して娘の、「食、衣、性交」の3つの権利を守らせ続ける義務があるのです。

更に、男女が肉体的に結ばれた関係になって以後に、男には肉体関係に至った女に対して「食、衣、性交」の権利を守らずに、女を捨てた状態を続けている場合には、当然損害賠償と自分の命を買い戻す「償いの義務」の賠償も生じる事になり、その双方が生きている場合には、男にはその「食、衣、性交」の権利が及び続けるのです。

それ故に、聖書に記された結婚については、「**基本的には離婚は認められておらず**」、只、神が立てた救いの計画の最終段階の時期に、「アメノオシホミミノミコト」が、人々の前に現れた時、この者の妻として選ばれた女性が、他の男と結婚している女性にのみ「離婚して」この男と結婚する事が許されておりますが、この時期に至る以前には、どのような理由が有ろうとも**“離婚”**は全く認められていないのです。

選ばれていない女性には離婚は認められていない。また、選ばれた女性の内の条件は、「アメノオシホミミノミコト」と過去に遭遇した事のある女性の内の一部の者と、結婚しても子を生みたいと思いながら妊娠する事や出産する事が出来なかった女性の内の一部の者が選ばれている可能性はあります。

更に未婚の女性の内の一部の女性が選ばれており、また、神によって選ばれた一人の男である「アメノオシホミミノミコト」は、神に対して忠実な者である故に、男が女にセックスを求められない事を良く知っているので、女がセックスを求める時には、「アメノウズメノミコト」と同じように「アメノオシホミミノミコト」の前で「全裸でセクシーに踊る」事によってのみ、彼と肉体関係に至る可能性が高くなる事を預言しているのです。

つまり、神の定めた救いの計画の中で、人々が生き続けられる時期を過ぎると、神によって選ばれた者達による、「正しいセックスの仕方」による行為が生じると、女は妊娠する事になるが、この妊娠によって誕生する新生児は、神によって人間が創造させられた時以来、多くの死亡者が発生し続けており、この既に死亡して肉体を失って魂だけになったものに対して新しい新生児の肉体を与える為の、「死者の復活」であります。

またこの“死者の復活”が開始されると、従来通りの新生児の誕生は終了し、人類の総人口がこの時に最大の数値になって、それ以上の新規の人類が誕生する事はなくなるので、この神によって選ばれた者たち以外の男女には、妊娠や出産が出来なくなる故に、この者達は、自分達が生き続ける為の仕事と、スポーツや娯楽などの趣味を幾つか持って、自分の健康管理をする事になると思われます。

8.7　生きる人の一日当たりの栄養価について

私の過去の経験で申すと、私は肥満体の傾向が強く、私の身長は169cm程度で、その身長になった時期は高校生の頃であり、その頃の体重は58kgであり、その身長と58kgの体重は、高校を卒業して社会人になって以後も10年近く続いておりました。

でも、身長に対する基本的な体重は63kgだと思っておりましたが、しかし、私が27歳の時に自家用車を買って、その自家用車を通勤等に用いるようになって、その体重は年を追うごとに増え続けて82kg程度の肥満体になった時期があり、その肥満体を解消する為に私は「断食」をして、肥満体を解消する事と共に、私の身長に対する必要なエネルギー量を調べる為に、100gの食物のエネルギー量が示された書物を購入して、自分が一日に食べる、食べ物のグラム数を調べ、又100g当たりのカロリーも調べました。

私が人の一日当たりの必要なカロリーを調べようと思ったきっかけは、その当時の新潟県で、一人の心無い男によって、一人の女性が10年もの間に一日一食の弁当を与えられるだけで、自宅に監禁され続けた事件が報道された事が有り、そのようなひどい扱いをされる中でも、この女性が幸いにも命を保てた事に、安堵とともに感嘆を覚えたのです。そして、私自身の健康について思い至り、私が健康障害を起こさずに生きる為の正しいエネルギー量を調べたいと思いました。

また私自身は聖書を自発的に学び続ける者の一人であり、その聖書で私の理解の仕方では10日間の断食をするという項目があり、その10日間の断食を行った事はあり、しかし、実際にはその10日間の内に2回の食事をする機会に遭遇して、まず断食を始めて3日目に、親戚の通夜があり、その時、私が断食を続けている事の説明が出来ないので、食事をしましたが、その食事をする事によって下痢をし、また翌朝の体重測定値は1kg増えているのです。

その翌朝からは断食を続けましたが、更に3日目の昼食の時、私の甥の結納の式に参加している時であり、私が断食を続けている事の説明が出来ないので、この時にも食事をしましたが、この時には下痢をする事が無いように注意しながら食べたので、その翌朝の体重測定では1.5kg体重が増えていたのです。

更に断食を続けて、最終的に10日目で断食は終了しましたが、この断食をした時の途中で食事をした経験で、断食を続けている時には一日に1kgの体重減少が起こりますが、一日に1食分の食事量で、一日分のエネルギーの補充が十分である事を理解する事が出来たのです。

そして私が調べた内容を示すと。

始めの1週間には、一日当たり550kcalに成るように、全ての食べ物のグラム数を測り、更に100g当たりのカロリー数も調べて食べ、また翌朝には体重測定をすると、1週間平均で一日当たり600g程度の体重の減少が続きました。

次の2週間目には、一日当たり650kcalになるように、全ての食べ物のグラム数を測り、更に100g当たりのカロリー数も調べて食べ、また翌朝には体重測定をすると、1週間平均で一日当たり400g程度の体重の減少が続きました。

更に3週間目には、一日当たり750kcalになるように、全ての食べ物のグラム数を測り、更に100g当たりのカロリー数も調べて食べ、また翌朝には体重測定をすると、1週間平均で1日当たり200g程度の体重の減少が続きました。

更に4週間目には、一日当たり850kcalになるように、全ての食べ物のグラム数を測り、更に100g当たりのカロリー数も調べて食べ、また翌朝には体重測定をすると、体重の減少が無くなりましたので、その後も一日当たり850kcalを続けましたが経過日数が多くなると少しずつ体重が減るようなので、私の身長では860～880kcal程度で軽作業であるなら十分であると思われます。

但し、体重を減らす為に「断食」によって行うのは最も効果的で短期間で体重を減らす事が可能ですが、私の経験では2日間断食をしても、「胃潰瘍」の痛みは起こる事は無いが、3日間の断食を行うと「胃潰瘍」の症状と思われる痛みが起こり、この痛みを感じなくなる為には3週間程度の日数が必要になるので、長期間の断食は控えた方が良いと思います。

また聖書には大人の男の基礎代謝量が示されており、その一日当たりの基礎代謝量は484kcalと示され、只身長は示されていないが、男は全く運動をしない寝た状態での基礎代謝量は484kcalと示されております。

8.8　舌で食べないで脳で食べる

人が食べ物や飲み物を食する時、多くの人々は舌で感じる味によって、美味しいとか不味いとかを判断して飲み食いしていると思うが、私の過去の体験や書物などによって知らされている飲み食いに関する知識と、私が実行している私自身の飲み食いの違いを説明します。

まず、「塩分」についてだが、私の知識では、飲み水に関しても食べ物に関しても、私は“塩分”は全く必要が無く、食べ物に含まれている微量の塩分で十分なのです。

だから、出来るだけ塩分は控え、また、調理する食べ物についても塩分の少ない物を食するようにし、また生野菜類についても調理せずに、生のままでドレッシング等を全く使用せずに食べるように心掛けております。

と言うのは、私のように高齢になると男は血圧が高くなる傾向が強く表れ、また女は骨密度が低下して、骨折する傾向が高くなる場合が多くなりますので、男である私も高血圧の傾向があり、また私も過去には軽い「脳梗塞」によって一時入院し、その後、高血圧に対応する薬の処方をして貰い続けております。

それ故に、私は、「塩分」を極力控える食事と、老化現象を少なくする為に運動量を増やし、また運動が速やかに、或いは軽やかに出来るような筋肉トレーニングも続けており、更に脳の働き方を鍛える為にも、色々な知識を学び、記録して脳を鍛え続けており、また毎日の自分の血圧の測定と測定値の記録、更に体重の測定と記録も続けております。

その結果として、気温が低くなる冬季間と、気温が高くなる夏季間とでは、気温が低くなる冬季間の方が高くなる傾向が有り、逆に気温が高くなる夏季間では、血圧が低くなる傾向が強く表れる故に、私は高血圧に対応する薬を飲む回数を1日置きに減らしています。

また食べ物について、私の知識では、塩分を加えるとか、熱を加える事によって、栄養分の中からビタミン類やミネラル分が著しく減少する物があり、この塩分を加えるとか、熱を加える事によって、ビタミン類やミネラル分が著しく減少する物については出来るだけ塩分を控え、また熱を加えずに生のまま食べる事でビタミン類やミネラル分を補充するように心掛けております。

おわりに

御購読いただきありがとうございました。

この本の、宇宙や地球、歴史や未来、宗教、神話等に関する記述の中には、広く知られるこれまでの知見とは異なる内容も多く含まれております。これは、私がこれまでに得た知識をもとに、私なりの考察・意見を書き記したものであります。読者の皆様にはこの点をご理解いただければ幸いに思います。

参考文献

本書の執筆に際して参考にした文献を、以下に掲げておきます。

「ブリタニカ国際大百科事典」 2000年　ブリタニカ・ジャパン
加治木　義博『真説　ノストラダムスの大予言』「1999年人類滅亡」は絶対にない‼　1990年　KKロングセラーズ
五島　勉『聖なる予言者〈聖徳太子〉の〝救いの創世記〟天と地の予言者［1999年ハルマゲドンか希望か］ノストラダムスを超える衝撃』 1995年　青春出版社

吉川（よしかわ）　義弘（よしひろ）

略歴　1945年北海道十勝生まれ。北海道立士幌高校卒業。卒業後、神奈川県に就職、7年後に十勝に戻り就職し、36歳の頃から自分の脳の働き方に異状を感じ始め、又、記憶しているものの中に、私には必要のないものが幾つかある事にも気付き、誰かに操られて動かされる操り人形のように思い始めました。
つまり、普通の人と類似した記憶もあるが普通の人が知り得る事の全くない知識が与えられ続けている。その状態が今現在も続いております。

私達人類と地球の未来

2023年2月7日　第1刷発行

著　　者　吉川義弘
発 行 者　堺　公江
発 行 所　株式会社 講談社エディトリアル
〒112-0013　東京都文京区音羽1-17-18　護国寺SIAビル6F
電話（代表）03-5319-2171　（販売）03-6902-1022

装　　幀　next door design
印刷・製本　株式会社ＫＰＳプロダクツ

定価はカバーに表示してあります。
落丁本・乱丁本は、ご購入書店名を明記のうえ、講談社エディトリアルにお送りください。
送料小社負担にてお取り替えいたします。

ISBN978-4-86677-117-5